나는 행복한 사람

나는 행복한 사람

발 행 | 2023년 12월 29일
저 자 | 신정순
펴낸이 | 한건희
디자인 | 권영민
펴낸곳 | 주식회사 부크크
출판사등록 | 2014.07.15.(제2014-16호)
주 소 | 서울특별시 금천구 가산디지털1로 119 SK트윈타워 A동 305호
전 화 | 1670-8316
이메일 | info@bookk.co.kr

ISBN | 979-11-410-6309-2

www.bookk.co.kr
ⓒ 신정순 2023

나는 행복한 사람

신정순 지음

CONTENT

1. 수박밭을 정리하면서

남편이 아침 일찍부터 경운기 시동을 걸면서 바쁘게 움직인다. 날씨는 무엇 때문에 화가 났는지 아침부터 마냥 편치가 못하다. 아마도 우리의 찌그러진 마음을 조금이라도 알고 걱정스러운 눈빛을 보내주는 건지도 모르겠다.

참깨를 심어볼까 하고 밭을 일구다가 갑자기 바뀐 선택 작물, '수박' 어느 광고에선가 말했었다. 한순간의 선택이 십 년을 좌우한다고. 십 년까지는 아닐지라도 여름 피서철을 겨냥하고 수박을 심어놓고 여간 마음고생을 한 게 아니다. 그래도 우리는 하우스니까 하우스 수박은 괜찮을 거라고 하고 약간의 희망을 걸었었는데 그 희망은 실망으로 바뀌어 버리고 말았다. 올해는 노지 수박도 날씨가 좋아서 대풍이란다. 아이들은 "우리 집에서 수박을 심으니까 실컷 먹어보자고 밥 대신 수박으로 배를 채우면 된다"고 엄마 아빠를 위로하지만, 화장실만 들락거릴 뿐 수박밭이 수박은 없어지지 않았다.

나는 남편에게 몇백 원이라도 좋으니, 종잣값이라도 건질 마음에 파는 데까지 팔아 보자고 졸랐지만, 운송비도 안 된다고 그냥 이웃 사람들과 나누어 먹는 것으로 포기하고 말았다. 수박밭을 정리하려고 밭에 들어서니, 어떤 놈은 자기를 데려갈 주인을 기다리다 기다리다 서러워서인지 빨갛게 입을 벌리고 울고 있고 또 어떤 놈은 그것마저도 지쳤는지 까만 눈물만 잔뜩 쏟아붓고 땅 위에 주저앉아 버렸다.

남편과 나는 그런 수박들을 경운기에 연신 집어 던졌다. 마치 누군가에게 분풀이라도 하듯이. 농사를 지으면서 실패를 한두 번 해보는 것도 아니련만 이번만은 어쩐지 마음이 더 아프다 허리 아픈 나 때문에 남편 혼자서 너무나 열심히 했는데, 그 노력한 결과가 너무 허망한 탓이리라 땅은 거짓말을 안 한다는데 누가 거짓말을 한 것인가? 무엇 때문에 어렵게 지은 농산물을 제값을 못 받고 땅속에 묻어버려야만 한단 말인가? 그렇게 땅속에 묻어버릴 때는 농사꾼의 피나는 노력의 아픔까지도 같이 묻어버리게 된다.

올해는 웬일인지 모든 농산물이 제값을 받기가 어려웠다. 양파, 당근, 양배추, 수박… 여러 가지가 판로가 있다고 해도 생산비

에도 못 미치는 헐값이었다. 아마도 정보에 어두운 농사꾼들이 너도나도 심어서 과잉생산 되었기 때문이다. 생강을 주업으로 살아가는 이곳에서는 몇 년째 생강값이 헐값인가 하면 심어놓은 생강조차도 노랗게 시름시름 앓다가 땅속으로 사라진다. 앞으로는 어떤 방면으로든 어렵게 지은 농산물이 제값을 받았으면 좋겠고 도로 땅속에 묻어버리는 일은 하지 않았으면 좋겠다. 그러자면 우리 스스로 더 노력하고 더 공부하면서 농사를 지어야만 될 것 같다.

하루 왼 종일 일그러진 수박밭을 깨끗이 정리하고 돌아서서 또 무엇인가 심어야만 한다고 생각하면서 그곳을 나왔다. 어떤 작물을 심어야만 성공할지 정확히 알 수는 없지만 실패할 때 실패할지라도 또 내일을 기대하면서 도전해 보리라. 겨울이 가면 반드시 봄이 오듯이 언젠가는 보람 있는 날도 있을 것을 믿으면서 남편과 나는 힘차게 경운기에 올라타고 집으로 돌아왔다.(2000년)

2. 그리운 언니를 생각하면서

귀뚜라미 울음소리가 깊어져 가는 가을 저녁. 저녁을 먹고 밖에 나와 마당을 거닐다 흐드러지게 피어있는 봉숭아꽃이 눈에 들어왔다. 분홍색 하얀색이 어우러진 예쁜 봉숭아꽃을 감상하다 문득 아련하게 그리워지는 추억을 더듬어 냈다. 봉숭아 꽃잎 찧은 것을 서로의 손톱에 정성껏 동여 매주고 예쁘게 물든 손톱을 서로 비교하면서 즐겁게 웃던 순간들이 그림처럼 떠 올랐다.

작은 면내에서 나는 신협에서 근무하고 우체국에 근무하는 선배 언니가 있었다. 그 언니와 나는 가까운 곳에 있으면서도 매일 엽서와 편지로 마음을 주고받으면서 남다른 우정을 쌓아가고 있었다. 함박눈 내리는 날 간월도 바닷가에서 밤새껏 눈을 맞으며 함께 걸어서 집에까지 오기도 했다. 머리에 눈송이를 가득 이고 그 무게조차 잊은 채 추운 줄도 모르고 밤새껏 무슨 얘기들을 그렇게 나누면서 걸었을까? 우리들의 달콤한 밀어들이 추위를 잊게 했을 것이다. 또 가을이면 가을 경치가 보고 싶어서 버스도 타고 기차도 타고 배도 탈 수 있었던 우리 둘만의 하루 여행코스. 서산에서 버스로 홍성까지 가면 그곳에서 열차를 타고 장항까지 갈 수 있었다. 장항에서 군산행 여객선을 타고 군산 월명공원에 가서 가을을 흠뻑 마시고는 밤 기차 타고 돌아올 때의 그 기분은 우리 둘만이 느낄 수 있었던 최고의 행복이었다.

우리는 그때 선후배 사이의 언니 동생이 아니었다. 그 누구도 느낄 수 없는 연인이었다. 어떤 연인들이 그렇게 아름다운 추억을 간직할 수 있을까? 우리는 그렇게 많은 추억들을 가슴속에 간직한 채 언니는 목사님의 아내요, 두 딸아이의 엄마로 하나님의 말씀을 전하는 신앙인으로 살아가고 나는 가장 평범한 농부의 아내로 땅을 지키고 고향을 지키며 살아간다.

지금은 세월이 흐른 만큼 서로의 얼굴에는 세월의 흔적이 묻어 있으련만 가끔 전화로 안부만 확인하면서 살아가고 있다. 오늘 저녁 밤길을 거닐면서 언니에게 편지를 써 보고 싶은 생각이 들었다. 그 옛날처럼 예쁜 꽃잎도 낙엽도 붙여가면서 시도 써보고 편지도 써 보고 싶어진다. 바쁜 농사일에 보내지 못하더라도 써 보자. 보내지 못하면 차곡차곡 모았다가 언젠가 만나는 날 언니에게 한 아름 선물하리라.

내임은 ㄱ 옛날 언니히고 내기 시고의 손톱에 정성스럽게 봉숭아 꽃물을 들여준 것처럼 내 딸에게 봉숭아 꽃물을 예쁘게 들여주고 딸아이의 손톱에서 꽃물이 없어지기 전에 언니를 만날 수 있는 날을 기다려 보자. 다시 만나서 지난날 걸었던 그 길을 걸으면서 이제는 삶이 묻어나는 얘기들을 나누고 싶다.(2000년)

3. 기름 사고 치는 여자

낮에 일하고 저녁 때 목욕을 하려고 보일러를 눌렀더니 계속 빨간 불만 나오고 보일러가 돌지를 않았다. 보일러실을 들어가 확인을 해보니 기름이 한 방울도 없다. 아직 논갈이 나가서 돌아오지 않은 남편에게 전화했다.

'자기야 보일러에 기름이 하나도 없는데 어떻게 해'

남편은 너무 늦어서 농협에 배달이 안 될지 모르니 가까운 주유소에 가서 기름 두 통만 사다 놓으라고 했다. 얼른 기름통 두 개를 차에 싣고 주유소에 가서 기름 두 통을 달라고 했더니 어떤 기름을 주느냐고 묻기에 경유로 달라고 해서 가지고 왔다. 나는 그때까지 기름은 경유하고 휘발유만 있는 줄 알았다. 기름을 사서 집에 오니 남편도 일터에서 돌아와 있었다. 남편은 차에서 기름

한 통을 들고 보일러실로 갔다. 아 그런데 조금 있다 소리를 지르면서 날 불렀다. 얼른 무슨 일인가 하고 보일러실로 가보니 '당신 기름 어떤 걸 사 왔나?'고 묻는다. 경유 사 왔다고 했더니 보일러에 넣는 기름은 등유가 필요한데 경유를 사 왔다고 중얼거리더니 삼분의 일정도 넣든 기름통을 내려놓고는 다시 자기가 통 두 개를 싣고 주유소로 달려가 등유를 사다가 넣는다.

그런데 경유와 등유가 혼합되어서 그런지 보일러가 부~부~ 소리만 나고 계속 꺼지고 돌아가질 않는다. 그러자 남편은 '당신은 잘난 척은 혼자 다 하면서 기름 사고 치는 데는 뭐 있어'라고 하면서 서비스 센터에 전화를 걸고 있었다. 난 아무런 말도 못 하고 오늘 저녁에는 냉방에서 잘 수도 있겠다고 생각하며 한 개 있는 옥매트를 어머님께 깔아드리고는 가만히 구석에 이불을 뒤집어쓰고 쭈그리고 앉아 있었다. 남편이 나 보고 기름 사고 친다고 한 소리를 생각해 보니 작년 봄 모내기할 때 기름 사고 친 것이 생각나서 혼자 웃었다.

작년에 모내기가 한창 진행되고 있을 때였다. 남편이 모를 심다가 집에 가서 기름 두 통만 싣고 오라고 했다. 집에 와보니 대문 옆에 기름이 두 통 있길래 남편이 가지고 가려고 하다가 안 가지고 갔나보다 생각하고는 싣고 갔다. 남편에게 기름을 건네주고는 논둑에서 상자를 묶고 있는데 남편이 기계를 움직여 조금

가더니 이양기가 이상한 소리를 내며 멈추었다.

그러더니 나보고 어디 있는 기름을 가지고 왔냐고 묻기에 대문 옆에 있는 것 가지고 왔다고 했더니 고래고래 소리 지르면서, 난리 났다고 당신 거기 꼼작 말고 있으라고 하더니 손을 내저어 가면서 쫓아 오고 있었다.

이양기에는 휘발유를 넣어야 하는데 경유를 넣어서 큰일 났다고 당신 때문에 이양기 다 망가졌다고 소리 지르면서 뛰어오길래 냅다 논둑으로 뛰었다. 불같은 남편 성격을 잘 알고 있는 나는 지금 잡혔다가는 논에 처박힐지도 모른다는 생각에 냅다 도망을 친 것이다. 난 태어나서 그렇게 빨리 달려본 적이 없는 것 같았다. 내가 달리기를 그렇게 잘하는지도 몰랐다. 그때는 아마 칼 루이스와 경쟁을 했어도 내가 이겼을 것이다. 한참을 그렇게 뛰다 잠시 뒤를 돌아보니 남편이 쫓아 오다 말고 논둑에 서서 어딘가로 전화하고 있었다.

그런데 그때 일을 도와주고 있던 외국인 근로자가 두 명 있었는데 그 사람들도 나를 따라 뛰어와서는 내 뒤에 서 있었다. 그 사람들은 영문도 모르고 우리 남편도 뛰고 나도 뛰니까 같이 따라서 뛰어온 것이다. 내가 왜 아저씨들은 여기까지 뛰어왔느냐고 손발 짓해가면서 물어보니 사장님도 뛰고 사모님도 뛰길래 자기들도 무슨 일이 생긴 줄 알고 뛰었다고 했다. 그 말을 하는 그 사람들의 표정이 얼마나 웃기던지 금방 전까지 숨차게 도망 오던 생각은 다 잊어버리고 그 모습이 더 우스워 논둑에 앉아 정신없이 웃었다. 그 아저씨들도 내가 대충 설명을 해주니 웃어가면서 남편 있는 곳으로 갔다.

조금 있으니 이양기 기사가 와서 기름을 다 빼내고 다시 넣고 몇 번 시동을 걸어서 고쳐주고 나왔다. 돌아가는 기사님들을 붙잡고 그렇게 되면 어떤 고장이 나느냐고 물어보니 사장님이 빨리 시동을 꺼서 다행이지 그렇지 않았으면 삼천만 원짜리 이양기 아주 망가질 뻔했단다. 기사들이 돌아가고 남편이 손짓으로 나를 불렀다.

나는 집에 가서 점심 해 온다고 소리 지르고 얼른 집에 왔다. 밥을 가지고 가서 차려놓고 먹으면서 남편 눈치를 살피면서 "수리비 많이 나왔어?" 하고 물어보니 "내가 당신 때문에 미쳐." 하면서 웃는다. 그러더니 왜 저 사람들은 당신 따라 뛰었냐고 물었다. 당신이 소리 지르면서 뛰어오니까 무슨 큰일 난 줄 알고 피하라고 그러는 줄 알고 뛰었다고 했더니 남편도 한참을 웃었다.

두 번이나 기름 사고를 쳤으니, 남편이 나 보고 기름 사고 치는 여자라고 할 수도 있었다. 그런데 지나고 보니 자기도 경유와 휘발유를 정확히 구분해 놓고 사용하지 않은 것도 잘못이고, 저녁에 기름 사 오라고 할 때 정확히 등유 사오라고 안 한 것도 자기

잘못인데 무조건 나 보고만 잘못이라고 하는 건 조금 억울한 것 같다. 부인러 고치고 나면 한번 따져 봐야 할 것 같다.(2007년)

4. 아름다운 인연

　군대 간 아들 면회를 다녀오면서 차 안에서 아련한 추억 이야기를 듣고 여고 시절 위문편지로 만난 군인 아저씨 생각이 났다. 지금이야 시대가 좋아져서 군대에 가도 자주 전화 통화를 하지만, 내가 학교 다닐 때는 위문편지나 엽서를 의무적으로 쓰게 되어 있었다. 학기 초가 되면 선생님께서 나누어 주시는 노란 위문 엽서를 받아 들면 우리는, "국군 장병 아저씨께", "추운데 얼마나 고생이 많으세요. 우리는 아저씨들이 나라를 지켜 주시는 덕분에 열심히 공부 잘하고 있어요."라는 기본적인 인사말을 쓰면 할 말이 없어서 "그럼 추운데 고생 많이 하세요" 하고 간단하게 끝맺음해서 선생님께 제출하면, 선생님께서는 국군 부대를 선정해서 단체로 이곳저곳 나누어서 보내곤 하셨다. 가끔 군인 아저씨들이 엽서를 받고 답장을 보내줄 때도 있지만 대개는 그냥 잊어버리고 만다.

그런데 어느 날 정읍 공군 부대에서 근무하는 군인 아저씨 한 분이 나에게 긴 답장을 보내왔다. 고향은 마산이고 나이는 나보다 9살이나 많고 정읍에서 공군으로 근무한다고 했다. 그분한테 일주일에 두세 번 편지가 왔다. 시를 써서 보내줄 때도 있고 책을 읽다가 좋은 내용이 있으면 적어 보내주기도 했다. 시처럼 소설처럼 아름다운 편지는 감수성이 예민한 여고 일 학년인 나를 사로잡아 버렸다. 나는 여고 삼 년 동안 그 아저씨와 편지를 주고받으면서 봄이면 네잎클로버를 말리고 가을이면 단풍잎을 정성껏 말려 예쁘게 꾸며 편지를 보내곤 했다.

국어 시간에 배우는 시 한 편도 외우지 못하던 내가 서점에서 시집을 사서 읽기 시작했고, 아름다운 소설을 읽으면서 좋은 내용이 있으면 메모해 두었다가 편지를 쓸 때 옮겨 적기도 했다. 그때 나는 학급에서도 친구들이 많이 부러워하는 사람이었다. 편지가 오는 날이면 친구들과 같이 돌려가면서 읽기도 하고, 남자 친구와 사귀던 친구들은 그 아저씨의 편지를 인용해 가고 난리가 아니었다.

지금 내가 이런 글이라도 쓸 수 있는 건 그때 그분과 주고받은 편지 덕분이라고 본다. 그러던 고3 어느 여름날 늦게까지 엄마

일을 도와드리고 어둠과 함께 집에 들어오는데 대문 앞에 멋진 공군복을 입고 있는 군인 아저씨가 수줍게 웃으면서 서 있었다. 지금같이 핸드폰이 있었더라면 연락이라도 하고 왔으련만 그간의 편지 속에서도 찾아오겠노라는 말은 없었다. 나는 당황해서 어찌하면 좋을지 몰라 얼굴만 홍당무처럼 빨개져서 서 있는데, 그 아저씨는 한 치의 머뭇거림도 없이 들어오더니 아버지와 엄마에게 인사를 하고는 휴가를 받았는데 한 번쯤은 이곳에 와보고 싶어서 왔노라고 당차게 말했다. 엄마 아버지도 그 아저씨와 편지를 주고받는 걸 알고 계셨지만 그래도 나는 아버지 얼굴과 엄마 얼굴을 번갈아 쳐다보며 그 자리에 서 있었다. 저녁에 우리 식구들과 같이 밥을 먹고 있는 그분 앞에서도 계속 얼굴만 화끈거리고 가슴만 콩닥거려 말 한마디 건넬 수가 없었다. 그분 또한 막상 찾아오기는 했어도 어색한 표정으로 밥만 먹고 있었다. 아버지께서 '이것저것 몇 마디 물어보시더니 사람이 당차구먼' 하시더니 엄마보고 동생 방에 이불을 펴 주라 했다. 그렇게 하룻저녁을 자고 그 뒷날 나는 말 한마디 못하고 학교에 갔고 그분은 책상 위에 무작정 찾아와서 미안하고, 엄마 아버지가 잘 대해주셔서 고마웠고, 갈래머리에 교복을 입은 모습이 참 예뻤다는 편지를 써 놓고는 돌아갔다.

그 많은 편지를 주고받으면서 옆에 있는 듯 많은 대화를 나누었는데 막상 만나서는 얼굴만 붉히고 말 한마디 못했다. 그 뒤로도 우리는 편지를 주고받다 나는 학교를 졸업하고 취직을 했고 그분도 제대하고 마산으로 돌아가 취직해서 각자 자기의 위치에서 삶을 살아가게 되었다. 지금처럼 핸드폰이 있어 전화라도 할 수 있었더라면 우리는 어쩌면 또 다른 인연으로 만났을지도 모른다. 너무 멀리 떨어져 있기에 만날 수도 없고 편지도 뜸해지기 시작했다. 직장으로 가끔 전화 통화를 하다가 그것마저도 뜸해지더니 어느 날 인가 결혼을 한다고 연락이 왔고 나 또한 그때 남편과 결혼 준비하고 있었다. 우리는 서로에게 축하한다는 인사를 주고받고 한동안 잊어버린 채 25년이 흘렀다.

그러던 어느 날 그분은 친정집을 통해 내 전화번호를 알았다고 전화했다. 마산에서 살고 있는데 부인과 서해안 쪽으로 여행을 가려고 하는데 한 번 만나 볼 수 있겠냐고 묻는다. 긴 세월이 지났지만, 나는 가슴이 콩닥거리고 마음이 설렌다. 여고 시절 처음 만나서 말 한 마디 못했던 순간도 생각나고 각자의 삶에서 살아온 세월만큼 어떤 모습으로 변했을지 궁금했다. 남편도 우리 사이를 알고 있었다. 집으로 전화가 왔을 때 당신 첫사랑이라고 농담하면서 바꿔줬다. 남편에게 허락받고 며칠 후에 근처 카페에서 만나기로 약속했다. 며칠 뒤 만났을 때 우리는 그 옛날처럼 수줍게 바라보고 웃었다. 얼굴에는 지나온 세월의 흔적들이 묻어 있어도 그분도 나도 순수했던 지난 추억 속으로 젖어 들고 있었다. 부인이 산책하겠노라고 자리를 비켜 주었다.

그분은 군인 시절 나와 편지를 주고받으면서 군 생활을 힘들지 않게 보낼 수 있었고 좋은 추억을 갖게 해주어서 고마웠다고 말했다. 나와 주고받은 편지를 아직도 가지고 있고 부인에게도 아이들에게도 보여 줬다고 말했다. 나 또한 아저씨 덕분에 글 쓰는 걸 좋아하고 책 읽는 걸 좋아하게 되었다고 말했다. 나는 아저씨와 주고받은 편지를 노트에 다 옮겨 적어 책처럼 만들어 놓았었는데, 시집올 때 친정집에 두고 왔는데 어느 날 가서 찾아보니 없어져서 아쉬웠다고 말했다. 그 옛날 말 한 마디 못하고 얼굴만 붉히던 때와는 다르게 세상 살아가는 이야기에 시간 가는 줄 모르고 이야기를 나눌 수 있었다.

부인이 들어와 두 분이 참 부럽다고 남편이 가끔 내 얘기를 했고, 나와 주고받은 편지도 가지고 있어서 그 시절의 학생을 한번 보고 싶었다고 웃으면서 말했다. 나도 "학생이 아니고 시골 아줌마라서 실망하셨나요?"라고 물으면서 웃었다. 잠시 뒤 두 사람은 안면도로 여행을 떠난다고 인사를 나누고 갔다.

나는 잠깐 추억 여행을 다녀온 것 같은 기분으로 집으로 돌아오면서 그 아저씨와 남편을 번갈아 떠 올려보며 혼자 웃었다.(2011년)

5. 다시 쓰는 글

요 며칠 사이 머릿속이 많이 복잡하고 혼란스럽다. 농어촌 여성 문학 16집에 글을 올려야 할지 아니면 말아야 할지에 대한 고민 때문이다. 과연 글을 쓴다면 어떤 말들을 내 가슴에서 끌어내야 할지 암담하기 짝이 없다. 가슴과 머릿속에 있는 그 무엇인가를 끄집어내기만 하면 술술 나올 것 같은데 막상 컴퓨터 앞에 앉으면 답답한 마음뿐이다.

나는 그동안 정말 열심히 살아서 남부럽지 않은 삶을 살고 있다. 아이들도 그만하면 훌륭하게까지는 아니더라도 누구에게 부끄럽지 않은 아이들로 커 주었고, 아흔이 넘으신 시어머니를 모시고 살면서도 나쁜 며느리 소리는 듣지 않고 살아왔다. 취미 생활과 사회활동 그리고 운동도 해 왔다. 바쁜 시간을 쪼개서라도 하고자

하는 일은 다 하면서 살아왔다. 그러나 무엇을 해도 포만감을 느끼지 못했다. 칭칭 채워지지 않는 갈증으로 목말라하고 있었다. 무엇 때문에 목말라하는지 스스로 알지 못했다. 내가 힘든 만큼 가족들도 많이 지쳐가고 있었다.

그러던 얼마 전 태안에서 농어촌여성문학회 충남 모임이 있었다. 전국 회장님과 충남 회장님을 모시고 우리들은 참으로 오랜만에 모임을 가졌다. 그동안 이름만 올려놓았지, 회원으로서의 활동은 제대로 하지 못했다. 내가 회원으로서 적극 동참하지 못하는 사이에도 이 모임을 계속 이끄신 회장님과 총무님께 미안할 뿐이었다. 모처럼 태안에서의 모임을 주선한다기에 미안하고 무거운 마음으로 약속 장소에 나갔다. 그러나 나의 그런 마음과는 달리 오랜만에 만나는 회원들인데도 낯설지 않고 자주 만나던 언니들처럼 무척이나 반가웠다. 전국 회장님의 따뜻한 웃음은 나를 더욱 감동케 하였다. 화기애애한 분위기 탓이었을까. 내가 충남 회장님의 권유로 처음 글을 올리고 작품집 발간 기념행사에 참석하면서 받았던 그날 충격이 새삼 떠올랐다.

문학이 무엇인지도 모른 채 그냥 심심할 때 몇 자씩 일기처럼 써 오면 글을 작품이라고 서슴없이 내놓았다. 다른 분들도 촌부들인데 다 나 같겠거니 하면서 말이다. 내가 쓴 글이 책이 되어 나온다는 설레는 마음으로 출판기념 행사에 참석했다. 그러나 설렘은 잠시뿐이었다. 책을 받아 들고 다른 분들의 글을 읽는 순간 얼굴은 불에 덴 듯이 화끈거렸고 숨조차도 제대로 쉴 수가 없었다. 할 수만 있다면 책 속에서 내 이름 석 자와 글을 모두 지워버리고 싶었다. 행사를 끝내고 돌아오는 차 안에서 알 수 없는 눈물이 내내 흘러내렸다.

집에 돌아와서도 나는 며칠 동안 몸살을 앓고 말았다. 책을 좋아하며 편지 쓰는 것도 좋아했고 일기도 계속 쓰고 있었기에 문학까지는 아니어도 글을 좋아하는 사람들과 대화하면 통하겠지 하고 생각했었다. 그런데 문학회에 참석해서 회원님들의 글과 활약상을 보고는 너무나 큰 충격을 받았고 내 글에 부끄러움을 감출 수 없었다. 그 뒤로 글을 쓸 용기도 나지도 않았고 문학회에 몸담고 있는 자체도 부끄러워서 그만둘 생각을 하고 있었다. 잠시나마 농어촌여성문학회 회원이었다는 사실을 외면한 채 일에만 매달려 살았다.

가끔 충남 회장님의 전화를 받으면서도 다시 글을 쓸 생각은 못했다. 문학은 너무 높은 곳에 있는 것만 같았다. 그러던 내가 회원님들을 다시 만나서 작품을 논하고 삶을 얘기하면서 생각이 바뀌었다. 점심 식사를 한 식당의 장소가 회의를 진행하기에는 마땅치 않았다. 그러나 우리들이 누구인가. 세계화 시대의 농촌에서 굳건하게 우리 국민의 건강을 책임진 대단한 일을 하는 촌부들이 아닌가. 안락한 회의실 대신 우리가 타고 간 봉고차에서 회의가 진행되었다. 소박한 자리지만 우리만의 알짜배기 회의가 진행되었다. 나는 그간의 심정을 회원들에게 이야기했다. 어쩌면 나는 그동안 살아온 이야기들을 조심스럽게 내보이며 나를 치유하고 있었는지도 모른다. 회원님들은 사람 사는 것은 누구나 어려운 일을 겪으면서 살아가는 것이라고 했다.

"문학이라는 것은 거창한 것이 아니고, 너의 삶과 나의 삶이 바로 문학입니다. 그 삶에서 가장 절실한 부분을 진솔하게 글로 풀어내면 그게 바로 문학이지요. 내 안에서 차고 넘쳐서 나오는 글은 자연스럽고 독자에게 감동도 줄 것입니다."

전국 회장님의 말이 오랫동안 문학의 곁만 돌던 나를 또다시 설레게 했다. 모처럼 가슴이 콩닥콩닥 뛰고 있었다. 이 감정은 무엇일까. 그것이 무엇인지 정확히 알 수는 없었지만, 무엇인가가 나를 극도로 흥분케 하고 있었다. 삶이 문학이라면 나는 열심히 삶을 가꿀 자신이 있다. 나는 문학에 대한 열망도 차고 넘친다. 그 문학도 열심히 가꿀 것이다. 그 겨울날 태안의 바닷바람은 몹시 차가웠지만 한층 들뜬 나는 그저 상쾌하게만 느껴졌다.(2011년)

6. 난 참 노인 복이 많네

난 90이 넘으신 시어머니를 모시고 살고 있다. 가까운 거리에 친정 부모님 두 분도 계시고, 또 작년부터 요양보호사 일도 하고 있다. 그렇다고 내가 착하고 어질지도, 봉사 정신이 투철하지도 않은데 어쩌다 보니 갑자기 주변에 어르신들이 많아졌다. 40에 홀로 되신 시어머니와 30년 넘게 살아오는 동안 시집살이가 고초 당초보다 맵다는 걸 실감하면서 살았다. 하지만 세월 이기는 장사 없다더니 그렇게 무섭고 강하게만 보이던 분이 이제는 작고 작아져 내 손길이 많이 필요하시다.

세월은 우리 어머니를 저렇게 힘없는 분으로 만들어 놓고 말았다. 그런 어머니를 보면서 안쓰럽고 짠한 마음이 든다. 차로 10분 거리에 살고 계시는 친정 부모님은 또 어떠한가? 친정아버지 엄마는 언제나 그냥 엄마 아버지로 건강하게 나를 지켜 주는 울타리가 될 줄 알았다. 시집살이 아니 내 삶에 전념하느라고 친정 부모님은 늙으시리라는 걸 염두에 두지 않았고 언제나 내가 찾아가면 쉼터가 되어 주실 줄 알았다. 그러나 그분들도 늙어가고 있었고 이제 내가 그분들의 버팀목 역할을 해야 했다.

조금만 불편해도, 집에 생활용품이 떨어져도, 모터에 물이 안 나와도 나를 불렀다. 그러나 그 정도는 얼마든지 해드릴 수 있는 것이다. 내 몸만 부지런히 놀리면 되는 일이니까. 몸으로도 감당할 수 없는 문제는 부모님의 건강이었다. 올 한해 갑자기 엄마 아버지의 건강 악화는 어떻게 감당할 수 없으리만치 나를 힘들게 했다. 아버지의 간경화, 엄마의 위암, 우울증, 치매 한꺼번에 닥쳐오니 두 분 모시고 병원 다니는 것도 만만치가 않았다. 일 년 사이에 갑자기 일어난 일들이니 남동생들 셋도 아무 준비가 되어 있지 않아 어떻게 해야 하는지 막막하기만 할 뿐이다.

나는 요양보호사 자격증을 따기로 마음먹고 공부를 해 자격증을 땄다. 그래도 아직은 기억도 있으시고 조금만 챙겨 주면 손수 하실 수 있는 것도 있으니 자주 찾아가고 반찬 만들어다 드리고 식사 시간 알려드리는 정도로 돌보고 있다. 아버지 또한 정신 바짝 차리시고 스스로 몸 관리와 당 관리 하실 수 있게 챙겨드리는 것이 지금의 내가 그분들에게 할 수 있는 최선의 길인 것 같다. 엄마 아버지를 돌보면서 옆집에 살고 계시는 한 쪽 발이 장애가 있어 목발에 의지해 평생을 살아오신 할머니 한 분을 돌보는 요양보호사 일까지 하고 있다. 아침이면 나는 바쁘다.

집에 식구들 어머니 챙겨드리고 친정집에 들러 집 상황 돌아보고 엄마에게 할 일들을 알려드리고 그 할머니 댁으로 출근한다. 돌보는 시간 세 시간 동안 집안 살림을 하고 그분과 앉아 두런두런 지난 이야기들을 나눈다. 그러면 이웃집의 할머니들이 한 분한 분 모여드신다. 그분들 중에는 귀가 안 들리시는 분도 있고, 뇌출혈이 있어 거동이 불편하신 분도 계신다. 어떤 분은 파스를 붙여달라고 가져오시는 분도 있고, 또 어떤 분은 며느리 시집살이를 하소연하시는 분도 계신다. 그러면 나는 그분들과 함께 며느리 흉도 보고 할아비지 흉도 보면서 같이 흥분한다. 그렇게 해드리면 잠시나마 어르신들이 스트레스를 푸시는 것 같아 나도 같이 맞장구를 쳐 준다.

가끔 할머니들과 엄마를 모시고 목욕탕에 갈 때도 있다. 목욕을 마치고 나면 목욕탕 앞에 있는 순댓국집에 가서 점심을 먹는다. 내가 한 번이라도 점심값을 낼라치면 어르신들은 아예 손사래를 치시면서 당신들이 서로가 한 번씩 밥값을 내주신다. 그리고는 차 사라고 돈 만 원을 주신다. 처음에는 한사코 받지 않는데 어르신들 마음이 불편하다고 하셔서 차비를 받아 할머니들이 모

이실 때 가끔 호떡도 사다 드리고 순대도 사다가 막걸리도 한 잔씩 할 때가 있다. 그렇게 구번에 어르신들과 어울리다 보니 사람이 사는 것도 중요하지만 죽는 것도 참 힘든 일이구나! 하는 생각이 든다.

젊어서 고생으로 온몸은 망가질 대로 망가져 안 아픈곳이 없지만 병원에 간들 뾰족한 방법도 없고, 그냥 아픈 고통을 몸으로 안고 살아가시는 어르신들이 많다. 어르신들이 죽고 싶다 하는 건 거짓말이라는 말도 있지만 정말 그분들을 보면서 하루하루 살아가는 게 고통인 분들이 많다. 돌 볼 자식도 없고 한 끼 한 끼 혼자 해결해 나가기조차 버거우신 분들은 정말 편안한 죽음을 기다리신다. 몸이 불편하신 어르신들과 함께하다 보면 어떤 때는 지칠 때도 있지만 멀지 않은 날에 찾아올 내 모습이기에 그분들을 모시는 날까지 마음을 담아 최선을 다하고자 한다.(2012년)

7. 시어머니 첫 기일

시어머니 첫 기일이다. 막내며느리로 삼십 년 동안 모시다가 95세로 작년에 돌아가셨다. 산소 앞에 제사상을 차려놓고 가족들과 제사를 지내면서 지난 일 년 동안의 시간을 돌아보니 참 많은 생각들과 기억들이 스쳐 지나갔다. 삼십 년 전 나는 농사일이 무엇인지도 시집살이가 무엇인지도 모르면서 그냥 나만 잘하면 될 거라고 하는 믿음 하나로 시집을 왔다. 그러나 시집살이는 고추보다 맵고도 매웠다. 나만 잘해서 살아지는 게 시집살이는 아니었다.

무엇보다도 너무나 큰 세대 차이를 극복해 나가는 것이 가장 힘들었다. 젊은 시절에 혼자 되셔 농사일밖에 모르고 살아오신 어머니와 공감대를 맞춰가면서 살아간다는 건 여간 어려운 게 아니었다. 아이들을 키우면서도 사사건건 가로막히는 의견충돌에 아주 힘들었다. 지나온 삼십여 년 세월을 어찌 이 지면 한 장에 다 적을 수 있을까. 어머니와 살 때는 그 지나가는 세월이 나만 힘든 줄 알았고 나만 억울하고 나만 고통스러운 줄 알았었다. 어머니도 힘드셨으리라는 생각은 못 했다. 내가 옷이나 구두를 살 때도 화장품을 살 때도 어머니 것도 꼭 같이 사다 드렸다. 그렇게 신경을 쓴다고 써드렸는데도 항상 저만 좋은 것 사 입는다고 불만이었다. 그때는 왜 그러시는지 몰랐다. 단지 며느리에 대한 시샘이라고만 여겨 서운했다. 당신이 삶에 떠밀려 누려보지 못한 젊음을 되돌아보며 지금 며느리의 젊음이 얼마나 부러우셨을까? 어머니도 파운데이션을 바르고 싶으셨고, 슬리퍼나 고무신이 아닌 나처럼 똑똑소리 나는 구두를 신고 방안에서라도 걸어보고 싶으셨으리라. 매일 입고 있는 일 바지가 아닌 나처럼 흰 바지가 입어보고 싶으셨을 텐데, 난 그 마음을 헤아리지 못했다.

돌아가시려고 그랬는지 내가 손톱에 매니큐어 바른 걸 보고 나도 한번 발라 달라고 했을 때 발라 드리면서 너무 좋아하시는 걸 보고 어머니도 여자였구나. 그동안 자존심 때문에 직접 말씀은 못 하시고 마음속으로 날 여자로서 부러워하고 계셨구나. 왜 나는 그걸 헤아리지 못하고 돌아가시기 직전에서야 그걸 알았는지.

돌아가시기 전에는 몸이 아주 편찮으셔서 나에게 의지하셨었는데, 드시고 싶다는 음식은 정성껏 다 해드렸고 깔끔하신 시어머니 항상 주변 청결히게 헤드리면서 내 할 일 다 했다고 생각했었다.

화장실 다니시기 어렵다고 방에서 일 보시고, 기저귀 갈아드린다고 말씀드려도 무릎으로 기어서라도 화장실을 다니시던 어머니.

당신 속옷은 며느리가 없을 때면 어떻게든 빨아서 이불 밑에 넣어 말리시던 어머니. 식사를 방에 가져다드리면 알아서 혼자 먹는다고 너는 아비하고 먹으라고 한사코 밀어내시던 어머니.

삼십 년을 모시고 살았어도 95세의 연로한 연세에도 무섭고 어렵고 강하게만 느껴지시던 어머니.

저녁 늦게까지 일하고 어둠과 함께 집에 들어오는 며느리보고 시어머니 저녁 굶기려고 작정했냐고 역정 내시던 어머니.

그런 모든 것들이 어머니의 자식 사랑이었음을 돌아가신 뒤에야 알았다. 당신 저녁 걱정이 아니라 아들 며느리 늦게까지 일하는 것이 안쓰러워하신 말씀이라는 걸 돌아가신 뒤에야 알았다. 난 어머니에게 그렇게 살가운 며느리는 아니었다. 돌아가시고 난 후 제사상에 산해진미 올려 놓은들 결국은 살아있는 사람들의 마음인 것을. 살아생전 살가운 자식 노릇 제대로 못 하고 제사상 앞에서 지난날 후회한들 이 또한 내 마음 스스로 위안하는 길 밖에 아무 의미 없는 노릇이다. 왜 자식들은 부모가 돌아가신 뒤에야 부모의 마음이 희미하게라도 보이는 건지. 어머니가 돌아가시고 일 년 동안 혼자 살림을 하고 농사를 지으면서 어머니와 30년 살아온 세월보다 더 긴 세월을 보낸 것 같다.

어머니가 항상 말씀하셨다. "시어머니 죽고 보리방아 물 불어 봐야 시어머니 중요한 줄 안다고." 일 년을 보내면서 그 말씀을 절실하게 느끼면서 살았다. 남편과 내 장화에는 언제나 흙이 덕지덕지 붙어있었다. 빨래는 저녁 이슬 맞아 축축한 채로 걷어야 했고 갤 시간이 없어 바구니에 담아두고 찾아 입었다. 집구석은 언제나 정신이 없었고 마당 가 화단에는 잡초가 무성했다. 어머니의 손길 어느 곳 하나 안 간 곳이 없음을 돌아가신 뒤에야 알았다. 일 년 동안 나의 삶은 두서를 못 차릴 만큼 바빴다. 어머니가 씨앗을 심을 때만 되면 지금은 완두콩 심어야 한다. 지금은 강낭콩 심어야 한다. 옥수수 심어라, 들깨 모 봐야 한다. 항상 알려 주시는 대로만 하다가 그것도 혼자 해보니 제대로 맞춰서 심는다는 것도 여간 어려운 게 아니었고 어떤 씨앗은 종자 생각도 안 하고 다 먹어버려 이웃집에서 얻어다 심기도 하고 또 심어야 할 때를 놓쳐 건너뛰기도 하면서 일 년을 보냈다. 제때를 찾아서 심어야 하는 씨앗들을 하나하나 내어주시면 그냥 농사가 지어지는 줄 알았다.

한 가정을 지켜가고 살림을 꾸려간다는 것이 이렇게 힘든 일인 것을. 어머니가 혼자 이 가정을 지키기 위해 그렇게 강하게 사실 수밖에 없었음을 돌아가신 뒤에야 알았나. 산소 앞에 제사상을 아무리 잘 차려놓은들 살아생전 살갑지 못했던 며느리 마음을 어찌 용서받을 수 있을까.

그렇지만 어머니. "어머니 돌아가시고 문득문득 저 또한 어머니 모습을 그대로 닮아가고 있음을 보게 됩니다. 살아생전 저에게 몸으로 마음으로 정신적으로 가르쳐 주신 삶이 바로 이것이라는 걸 알았습니다. 어머니가 돌아가신 뒤에도 허둥대지 않고, 흔들리지 않고, 거침없이 자신 있게 살아가는 법을 나에게 알려 주셨다는 걸 이제야 깨닫고 있습니다. 어머니, 그곳에서도 잘 지켜봐 주세요. 삼십 년 세월 가르쳐 준 살림이며, 형제간의 우애, 자식들에 대한 사랑, 주변 분들과의 인간관계 저 또한 어머니처럼 정성껏 가꾸고 잘 지키겠습니다." (2013년)

8. 두 남자 속의 한 여자

큰 남자 작은 남자 다 여기로 나오세요. 아침부터 세면장 문 앞에 서서 큰 소리를 냈다. 두 남자가 나온 세면장이 아주 난장판으로 만들어 놓고 나온 것이다. 샴푸 린스 병은 바닥에 나 뒹굴고 비누에는 물이 하나 가득하다. 빨래통이 바로 옆에 있는데도 벗어 놓은 속옷이며 젖은 수건이 무슨 급한 일이 터진 것처럼 여기저기 아무렇게나 널려있다. 어쩌면 이렇게 아버지하고 아들이 똑같은지. 닮지 않아도 될 부분까지 닮았다.

객지에서 직장생활을 하던 아들이 올봄 못자리할 때 몇 번 아빠를 도와주더니 "아빠, 이제는 혼자 일하기 무척 힘들지요?" 했었다. 그 말이 아버지를 위로하는 것이 아닌 것 같았다. 아니나 다를까 어느 날 보따리를 싸 들고 아들은 집으로 들어왔다. 아직

나이도 있고 하니 사회생활을 좀 더 해보고 결정했으면 좋겠다고 설득해두 아들은 듣지 않았나.

직장생활이 별 신통치 않은 듯했다. 남들처럼 번듯한 직장을 구하지 못한 것도 속상하고 힘든 농사일을 하겠다고 결정한 것도 못마땅했다. 자식까지 이 힘든 땅과 씨름하는 것을 보고 싶지 않았다. 또 이제 나이 들어 남편과 둘이 홀가분하게 사는가 싶었는데 아들 치다꺼리를 다시 해야 하나 앞이 막막하기도 했다.

남편과 아들의 의견 충돌도 만만치 않을 텐데 아들과 함께 사는 것이 즐겁기보다는 걱정이 앞섰다. 하지만 아들은 마음먹고 내려와서인지 아빠를 부지런히 따라다녔다. 햇빛에 나가 논에 비료와 약을 주고 늘 함께 일을 했다. 남편이 할 때는 당연하게 생각되었는데 아들의 모습은 왜 그렇게 안쓰러운지. 가끔 이런 내 마음을 드러내고 만다. 땀 흘리며 들어오는 아들의 엉덩이를 톡톡 치면서 "아이고 우리 아들 고생했네" 하면 아들은 "아빠가 다 했고 전 별로 한 것이 없어요. 아빠 엉덩이나 두드려 주세요." 농담으로 받는 아들의 말에 나는 "당신도 고생했어요"하고 남편의 엉덩이를 살짝 두드려 주며 셋이 웃었다.

시어머니 돌아가시고 갑자기 남편과 둘이 남게 되자 뭔가 모르게 서먹했다. 서로 마주 얼굴을 대하면 쑥스럽기까지 했다. 무슨 말을 해야 하나 낯선 청춘남녀처럼 어색했다. 어머님이 계실 때는 대화거리도 많았던 것 같았는데 지금은 서로 말이 줄었다. 말로 서로의 마음을 전달하기보다는 눈빛 몇 번 교환하면 끝이었다. 일할 때도 그 일에 대해서 몇 마디 주고받으면 끝이었다. 함께 산 많은 세월 때문이려니 했지만 두 사람만 있는 것에 익숙하지 않은 탓도 있었다.

그러다 아들이 들어와서 같이 살아보니 키울 때 하고는 다르게 살가운 맛도 느껴지고 든든한 맛도 있다.

물론 부자간에 가끔 다툼이 없는 것은 아니다. 또 힘든 농사일에 비해 금방 대가가 따르는 것도 아니어서 후회하는 모습도 살짝 보인다. 이런 모습에 애가 타기도 하지만 아들이 잘 풀어나가리라 믿는다. 나 또한 부자간의 충돌을 해소하고 집안에 큰 소리가 나지 않도록 중간 역할을 해야 하는 어려움도 있다. 아들이 잘한다 해도 남편 마음에 들을 수 없다. 남편이 새벽부터 논에 나가 약을 주고 들어와도 아직 잠자고 있는 아들을 보면 내가 미안한 마음이 든다.

또 아들은 아들 나름대로 성질 급한 제 아버지로 인해 힘들다는 말을 자주 듣는다. 하지만 아들이 들어오면서 내가 남편 따라다니면서 하던 일도 줄었고 집안에 생기가 돈다. 빨랫감은 두 배요, 반찬도 더 신경 써야 하지만 사람 사는 맛이 난다. 가끔 남편 빼놓고 아들과 영화 보고 자장면을 사 먹는 재미도 쏠쏠하다. 미

장원에서 파마 하고 왔어도 남편이 알아봐 주지 않을 때는 그냥 넘겼지만, 지금은 네가 두 남자 나 좀 예쁜가 봐 달라고 농담한다. 그러면 "예뻐, 예뻐"를 동시에 외친다. 마음에 없는 대답인 줄 알지만 그러면서 또 한 번 웃어본다.

밤이면 아들 방에 들어가 이 소리 저 소리 잔소리를 해대면 그 큰 손으로 등을 밀며. "아줌마 이젠 잘 시간 되었어요" 하면서 방에서 밀어내면 못 이기는 척 나오면서 앞으로도 셋이 살면서 부딪치고 마음 상하는 날보다는 웃는 날이 많았으면 좋겠다는 생각을 해 본다. 지금도 창고에서 종일 탈곡한 벼를 열 시가 넘은 시간까지 건조기에 넣고 있다. 부자지간에 무슨 할 이야기가 그리 많은지 건조기 돌아가는 소리보다 더 시끄럽다. 거실에서 창문을 통해 더욱 닮아가는 두 부자를 바라보며 이제는 아들에게도 여자 친구가 생겼으면 좋겠다는 기대를 해 본다.(2017년)

9. 눈 내린 날 아침에

자고 일어나 방문을 열어보니 많은 눈이 내렸다. 올해 들어 처음으로 발이 빠질 정도로 많은 눈이 내렸다. 아침밥을 먹고는 다시 이불 속으로 들어가 핸드폰을 만지작거리다가 재미가 없어 붓을 잡고 붓글씨를 써 보지만 역시 그것도 심드렁해서 쓰기 싫고 컴퓨터 앞에 앉아 봤지만 지루하다. 창문을 열고 하얀 세상을 가만히 바라보다 눈 속을 한 번 걸어 볼까 하는 생각이 들었다. 얼른 옷을 챙겨 입고 모자에 목도리 장갑까지 단단히 챙겨입고 긴 부츠를 신고는 밖으로 나갔다.

아무도 지나가지 않은 하얀 눈은 밟기조차 아까웠다. 그냥 바라보고만 있고 싶어졌다. 한참을 가만히 서 있다가 한발 한발 디뎌 보았다. 뽀드득뽀드득 소리가 정겹게 귓가에 들리고 신발 밑에

푹신한 감촉이 전해 온다. 한참을 걸어가다 뒤를 돌아봤다. 또박 또박 나 있는 발자국이 정겨운 그림을 그려놓은 듯 아름답다. 내 삶도 처음에는 이렇게 하얀 세상부터 시작했으련만, 세상살이 살 아내다 보니 행복해서 웃음 넘치는 그림보다는 거칠고 험한 그림, 죽을 만큼 고통스러운 그림들이 희미하게 기억 속을 스쳐 지나간 다.

돈 몇 푼을 구할 수 없어서 아이들을 힘들게 했을 때는 아픈 그림을 그린 적도 있었고, 시집살이가 고추보다 매워서 서러운 눈 물 같은 그림을 그린 적도 있었다. 남편과의 갈등이 너무 고통스 러워 뒤죽박죽 온통 망쳐진 그림을 그린 적도 있었다. 아이들이 커가면서 기쁨을 줄 때는 환희에 벅차서 어떤 물감으로도 표현하 지 못할 만큼 아름다운 그림을 그린 적도 있었고 열심히 일해서 수만 평의 땅을 장만했을 때 그 넓은 땅을 뛰어다녀 보면서 벅찬 눈물을 흘리는 그림을 그린 적도 있었다. 친정 부모님을 돌보고 시어머니를 모시다가 그분들을 다 여의고 불효한 통한의 슬픔을 그린 적도 있었다. 지난날의 그렇게 수많은 그림을 또다시 마음속 에서 끄집어내어 추억이라는 이름으로 하얀 눈 위에 그려보면서 다시 한발 한발 걸음을 걸어본다. 나는 자주 이 길을 걷는다. 봄 에 모내기를 끝내고 나면 개구리들의 합창대회가 시작되면 그 노 래 소리를 들으면서 걷고, 여름에는 무수히 반짝이는 밤하늘의 별들을 헤아리면서 걷고, 가을에는 풀벌레 소리 친구삼아 나락 익어 가는 냄새 맡으면서 한 시간 정도 걸리는 이 길을 걷는다.

그렇게 지나간 세월을 회상하면서 걷다 보니 추수 끝난 논길이 나왔다. 그런데 이게 웬일인가? 수백 마리는 될듯한 기러기 떼가 눈 덮인 논을 꽉 메워 장관을 이루고 있는 게 아닌가! 자세히 보니 눈 속에서 먹이를 찾고 있는 듯싶다. 눈 속에서 먹이를 찾기도 쉽지는 않으련만 그래도 먹이가 있는 건지 열심히 바닥을 뒤지고 있다. 간척지 넓은 벌판에 있어야 할 기러기 떼가 그곳에서 먹이를 찾기가 힘이 들었던지 사람 사는 집 근처 논까지 날아와서 먹이를 찾고 있다. 한참을 바라보다가 문득 작년에 온 나라를 휩쓸었던 조류 독감 때문에 계란 값이 폭등했던 생각이 떠오른다. 저렇게 철새가 집 근처까지 온다면 또다시 조류독감이 오는 건 아닐는지 걱정이 앞선다. 양계 농가를 걱정하고 계란값을 걱정하는 농민의 마음으로 휘이휘이 소리를 질러 봤지만, 꼼작도 하지 않고 그냥 부리로 눈 속을 휘젓고 있을 뿐이다.

논 농사만을 주 작목으로 농사를 짓고 있는 우리도 축산 농가 못지 않게 힘든 일을 겪고 있기는 매 마찬가지다. 풍년 농사를 지어놓고도 쌀을 팔지 못해 이 방앗간 저 방앗간 찾아다니며 사정을 하고 있을 때가 허다하고 방앗간에서 인심 쓰듯 가져 오라 해서 가져다주면 쌀값은 한 달 두 달 미루기 일쑤고 농사꾼은 조마

조마한 마음으로 쌀값을 기다린다. 쌀을 이렇게 천시하면 언젠가 먼 훗날 저 철새들처럼 인간들도 먹이를 찾아 헤매고 다니는 날이 오지는 않을는지.

처음에 집에서 나올 때는 그냥 가벼운 마음으로 산책 겸 나왔지만, 어느 새 나는 쌀값을 걱정하는 농군이 되고 계란값을 걱정하는 주부가 되어 과거로 갔다가 미래로 갔다 헤매고 있다. 그러다 문득 삶은 다 그런 거지 오르막길도 있고 내리막길도 있는 거니까. 나 또한 비바람도 맞아봤고 태풍도 겪으면서 여기까지 오지 않았던가. 이 겨울이 지나면, 또 봄은 올 것이고 계곡물 소리와 함께 버들강아지도 가득 필 것이고, 새로운 날들 이 올 것이니까.

젊은 날처럼 화려하고 아름다운 그림은 아닐지라도 현명하고 지혜로움으로 가족과 함께 행복한 내 노후를 저 하얀 눈 속에 그려 보련다.(2018년)

10. 엄마의 구멍가게

우리 집은 내가 초등학교 3학년 때부터 농촌 아주 작은 동네에서 구멍가게를 했다. 우리 부모님은 농촌에서 가진 재산도 없는 가난한 농부로서 남의 집 일을 해주시면서 품삯을 받아서 힘들게 사셨다. 그러다 어느 날 동네에서 구멍가게를 하시던 할아버지가 너무 연로하셔서 구멍가게를 내놓는다는 소리를 듣고 그날 저녁 밤새 뜬 눈으로 새우시고는 새벽 동도 트기 전에 엄마는 달려가서 가게를 우리가 사겠다 하시고는 외삼촌 댁으로 달려가서 벌어서 갚겠으니 그 가게 좀 사 주시라 부탁해서 가게를 계약하시고 엄마는 바빠지기 시작했다.

지금의 할아버지는 그야말로 구멍가게였지만 엄마는 차표도 팔았고 시골 장날에는 시골 분들이 머리에 이고 나오시는 곡물도 사서 되매기 장사를 하시기도 했다. 농사짓는 아저씨들이 주전자 들고 막걸리 받으러 오시면 막걸리도 파셨고 두부도 해서 파셨다. 나중에는 가게 한구석에 솜틀 기계도 놓고 솜도 타셨다. 그때 내 나이 열 살이었는데도 맏딸이라 그랬는지 난 엄마의 고생하시는 모습을 보고 철이 일찍 들었던 것 같다.

엄마가 밤새껏 솜을 탈 때는 솜틀 위에 책을 올려놓고 시험공부를 하면서 엄마를 도왔고, 장날마다 밀려드는 손님들을 상대로 차표를 팔다가 학교를 늦은 적도 있었고 글씨를 모르시는 엄마를 대신해 엄마가 불러주는 대로 외상값도 적어주고 돈 계산도 해주었다.

엄마가 너무 바빠 동생 돌보는 것도 거의 내가 돌봐주었다. 기어다니던 막냇동생에게는 라면땅 한 봉지 뜯어서 방에 흩어 놓아주면 동생은 그 라면땅을 다 먹을 때까지는 잠잠하게 있었고, 어린 동생들은 가게에 있는 과자를 먹고 싶어 칭얼거리면 엄마보다도 내가 더 야박하게 나눠 주곤 했었던 것 같다.

그때 나도 어린아이였었는데 어찌 그렇게 일찍 철이 들었는지 모르겠다. 그건 아마도 선비 같은 아버지 때문이었을 것이다. 아버지는 언제나 여유가 있고 편안해 보였고 엄마는 항상 부지런하셨고 바쁘셨다. 당신이 배우지 못하고 가난해서 자식들은 어떻게 해서라도 가르쳐 보고 싶어 더 열심히 사셨던 것 같다. 그때만 해도 시골에서 딸은 고등학교 보내는 집이 별로 없었지만, 엄마는 나를 상고에 보내 주셨고 동생들도 어떻게든 공부를 시키고 싶어 하셨다. 엄마의 부지런함에 외삼촌께 빌린 돈도 다 갚고 얼마 정도의 땅도 사셨다. 그러나 선비 같고 마음 좋으신 아버지의 빚보증으로 엄마의 땅은 다 날아가 버리고 말았다. 엄마의 고생은 다 물거품이 되었고 설상가상으로 가게 자리마저 남의 땅이라고 나가라는 것이었다.

예전 주인이신 할아버지도 일제 강점기 때부터 세를 내고 지어 먹던 땅에 가게를 지어놓고 장사를 하셨던 것인데 그 땅 주인이 땅을 내놓으라는 것이다. 우리는 갑자기 갈 곳이 없어지고 생계마저 막막하게 되어버린 처지가 되었다. 그때 아버지와 가깝게 지내시던 지인 한 분이 자기 땅의 일부를 내어 주시면서 그곳에 가게를 짓고 다시 장사할 수 있게 해주셨다. 엄마는 그분이 고마워 틈만 나면 가서 일을 해주었고 명절 때만 되면 그냥 지나치지 않고 선물을 사다 드리곤 했었다. 우리에게도 그 은혜를 항상 설명하시곤 했었다. 그러나 사람 마음은 변하는 건지 땅을 내어주실 때 마음은 어디 가고 술만 드시면 엄마에게 함부로 하고 아버지를 업신여기기 시작하는 것이었다.

그때 나는 결혼을 했었고 어쩌다 친정에 가게 되면 그분이 엄마에게 함부로 하는 모습을 자주 목격하게 되고 그때마다 엄마는 무조건 미안하다고만 하시면서 굽신거리고 계시는 모습을 자주 보게 되었다. 정말 속이 상해서 덤비고 따져보기도 했고 땅을 팔라고도 해 보았지만 팔지도 않으면서 엄마 아버지만 괴롭히셨다. 사람들이 차 타러 오면 자기네 밭을 다 밟는다는 게 이유였다. 한마디로 그곳을 떠나기를 바라는 모습이었다.

나는 남편과 상의해서 예전 집의 땅 주인을 수소문해서 서울에 살고 있는 것을 알고 몇 번을 찾아가서 예전 가게 자리 땅 200평만 팔 것을 부탁했다. 그분은 전체는 팔아도 200평 분할 해서는 안 판다고 하셨다. 그래도 나는 아기를 업고 엄마와도 찾아가서 사정을 하고 동생들과도 찾아가서 사정을 해보았다. 하도 찾아다니고 사정을 하니까 땅 주인도 우리의 처지가 딱했던지 200평 분할 해 주겠다고 하셨다. 고맙다고 수십 번을 머리 조아리고는 남편과 동생들의 도움으로 다시 가게를 짓고 이사를 하던 날 엄마는 참 많이도 우셨다. 그동안 그 아저씨한테 받은 설움 때문이었을 것이고 이제 내 땅 내 가게에서 떳떳하게 장사할 수 있다는 생각 때문이셨을 것이다.

그렇게 엄마는 다시 가게를 하면서 동생들도 결혼시키고 편안한 삶을 누리며 경로당에서 가르쳐주는 한글 공부도 열심히 하셔서 책을 읽고 쓰고 하는데 재미를 붙이고 너무 좋아하면서 이제 나도 사람같이 살아가는가 보다 하면서 정말 즐거워하셨다. 그런데 언제부터인가 우리 집 앞으로 사 차선 도로가 생긴다는 소리가 들리기 시작했고 급기야 시청에서 공무원들이 왔다 갔다 하면서 측량을 하고 토지 보상을 의논하기 시작했고 이주해야 된다는 소리를 하기 시작했다.

엄마는 그때부터 반 정신이 나가고 있었다. 엄마는 죽어도 나는 여기를 안 떠난다고 못 떠난다고 이 땅을 어떻게 마련했는데 나가라 하느냐고 몇 달 동안 식음을 전폐하시고 걱정 근심하시더니 결국은 위암이라는 판정을 받게 되고 위암 수술을 하시고 나니 우울증이 왔다. 엄마의 우울증은 엄마를 정말 힘들게 했고 가족들을 정말 슬프게 했다. 매일 죽는다고 하시면서 연장이란 연장은 다 가지고 다니시니 아버지가 엄마에게서 한순간도 눈을 뗄 수가 없었지만 결국 엄마는 제초제를 마시고 말았다. 그러나 다행스럽게 위를 완전히 절제한 탓에 약 성분이 곧바로 설사로 배출이 되어 생명에는 지장이 없었지만, 쇼크 상태가 계속되어 중환자실에 한 달 정도 입원하고 퇴원했을 때 엄마는 지난날의 기억을 중환자실에 몽땅 다 놓고 오셨다.

치매가 온 것이다. 죽었다 살아나셨지만, 지난날의 아픈 기억을 다 놓고 싶으셨는지 지난날의 기억을 하나하나 지워가고 있었다. 그러나 엄마의 이런 고통은 아랑곳없이 사 차선 도로는 났고 엄마 인생의 전부였던 구멍가게는 도로 속에 묻혀 버렸다. 땅값으로 보상을 받아 면내 가까운 곳에 작은 아파트를 구입해 부모님이 이사했지만, 아버지는 일 년도 못 사시고 기억 잃어가는 엄마만 두고 돌아가셨다. 아버지가 돌아가셨어도 슬퍼할 수 있는 마음조차도 잊었는지 슬퍼하시지도 않으셨다.

나는 그 모습이 더 슬퍼서 엄마를 부여안고 울었다. 그런 엄마는 다행인지 불행인지 기억을 잊어가는 것 이외에는 치매로 그렇게 힘들게 하시지는 않는다. 낮에는 주간 보호 센터에 다니시고 집에 계실 때에는 시간만 있으면 책을 소리 내 읽으셨다. TV라도 보시라고 틀어 드려도 시끄럽다고 끄고 책만 읽으셨다. 우리 엄마는 사 남매를 가겟집에서 막걸리 장사하면서 키우실 때 공부하라는 말씀은 안 하셨어도 남들과 싸우지 말아라, 욕하지 말아라, 거짓말하지 말아라, 가겟집 자식들이라 남들이 싹수없다고 한다고 정말 엄하게 가르치셨다.

나는 엄마가 자식들에게는 그렇게 엄하게 하면서 가게 손님들을 어떻게 대하시는지 보고 자랐다. 막걸리도 팔고 물건도 팔고 차표도 팔았지만, 돈이 없어 차표를 못사는 학생이 있으면 차표를 끊어주며 친구와 같이 차 타고 가라 해주셨고, 더운 날 우체부 아저씨에게 시원한 막걸리 한 사발 따라주는 모습을 보았고, 고등학교 언니 오빠들이 학교에서 사고 치고 부모님에게 말 못하고 방황하는 학생들에게는 마음을 털어놓을 수 있는 의지처가 되어주셨다. 그 학생들이 어른이 되어서 엄마에게 찾아와 그때 엄마 덕분에 자기들이 살아날 힘을 얻었다고 고맙다고 인사 오는 언니 오빠들도 있었다. 부부 싸움 하고 갈 곳 없어 헤매는 아줌마들에게 막걸리 한 사발 따라주면서 실컷 수다 떨고 갈 수 있게도 해주었다. 그러면 그 아줌마들은 남편 몰래 쌀 한 되박이라도 엄마의 부엌에 갖다 놓곤 했었다.

그런 엄마와 나는 엄마와 딸이기 전에 서로를 끔찍하리만치 아끼는 삶의 동반자였고 친구였던 것 같다. 아주 어릴 때부터 엄마는 낮에 종일 일하고도 밤이면 가게 앞의 평상에 앉아 참 많은 이야기들을 주고받았다. 그렇게 많은 이야기들을 주고받았기에 나는 엄마의 아픔도 고통도 즐거움도 다 내 몸으로 받아들이면서 자랐다. 지금 내가 육십이 된 나이를 먹고 보니 내 살아온 삶의 길이 어쩌면 엄마의 삶 그 자체인 것 같다.

나는 엄마의 가게에서 인생 사는 법을 배우면서 베푸는 법도 배웠고 참아내고 견디는 법도 배웠기에 나의 삶도 힘들고 지칠 때가 있었지만 슬기롭고 지혜롭게 살아온 것 같다. 가끔 엄마를 모시고 그 동네를 지나면서 엄마 여기 생각나느냐고 물으면 모르신단다. 그래서 엄마의 지난날을 얘기해주면 그랬다니 한 말씀뿐이다. 그러시면서 차라리 잊어버린 게 낫다고 말씀하신다. 어쩌면 엄마는 엄마 인생에 있어서 지금이 가장 편하고 행복한지도 모른다. 그냥 내 기억 속에서만 엄마와 함께했던 추억이고 아픔이고 그리움이다.

　앞으로 나는 그 사 차선 도로를 지나다닐 때마다 엄마를 고통스럽게 했던 기억보다 엄마와 함께 했던 추억을 더 많이 떠올리고 싶다.(2019년)

11. 후회

요즘 시골에는 손이 열 개라도 부족할 만큼 바쁘다. 우리 집도 열흘 넘게 모내기 끝내고 마늘을 캐고 있다. 신랑은 논에 다니면서 모내기한 논 보살피고 난 혼자 마늘을 캐고 있다. 마늘을 캐면서 작년 9월에 돌아가신 친정엄마가 많이 생각나고 그립다. 날은 덥고 허리 아프고 무릎 아프고 손가락 아프고 안 아픈 곳이 없으니 엄마가 더 생각나 엄마가 계신 공원묘지 쪽을 바라보면서 눈물짓는다.

엄마가 계시면 "엄마, 나 손가락 아파"하면 손가락을 어루만져 주셨고, 무릎이 아프다면 쓰다듬고, 허리가 아프다면 파스라도 붙여야지 하면서 안타까워해 주셨을 것이다. 한 번 아프다고 해도 두 번 아프다고 해도 열 번 아프다고 해도 언제나 그렇게 쓰다듬어 주셨고 안타까워해 주셨다. 그러나 지금은 내가 아프다고 해도 엄마처럼 안타까워하면서 만져주는 사람이 없다. 남편도 아이들도 두 번 이상하면 짜증을 낸다. 엄마는 내가 삶에 지쳐 힘들어할 때도 삶은 다 그런 거란다. 그렇게 세월이 지나면 그래도 그때가 더 좋았다 할 때가 온다고 하셨다.

아이들 때문에 속상할 때마다 "아이들은 엄마를 이불로 알고 산다", "더우면 차버리고 추우면 끌어다 덮는 게 엄마다"라면서 "너희들도 그랬다. 그러면서 크는 거라고 너무 속상해하지 말라"고 그 또한 세월이 지나면 자식들도 다 알게 된다고 말씀하셨다.

엄마는 그랬다. 언제나 내 편이었고 내가 아프면 같이 아파해 주면서 어루만져 주셨고, 내가 기쁘면 같이 기뻐해 주셨다. 그러나 나는 그런 엄마에게 그러지 못했다. 어느 자식이 부모가 베풀어 준 만큼 할 수 있으랴마는 나는 코로나가 판치던 작년에 엄마에게 큰 죄를 지었다. 나는 엄마와 차로 십 분 정도 거리에서 살고 있었다. 엄마는 면 소재지에 있는 아파트에서 사셨고 나는 시골에서 많은 농사를 짓고 있어서 언제나 바쁘게 살고 있었다. 엄마가 15년 전에 살고 계시던 집이 4차선 도로가 나는 바람에 평생 사시던 고향을 떠나야 하는 상황이 발생했고 그로 인해 엄마는 우울증이 왔고 그 우울증은 엄마의 기억을 하나하나 잃어가는 치매 환자로 만들어 놓았다. 엄마가 그렇게 고통스러워해도 4차선 도로는 났고, 아버지와 작은 아파트를 구해서 사시게 되었지만, 엄마는 좋아지지 않으셨고 삼 년 정도 사시다 아버지마저 돌아가셨다. 다행히 엄마는 착한 치매로 주간 보호센터에 다니시면서 혼자 계실 수 있을 만큼의 생활은 가능했다.

아침에 일어나셨나 전화로 확인하고, 한 시간 있다 식사하시고 세수하고 옷 입고 기다리시라고 전화하고, 십 분 정도 있다가 나가시라고 전화하고, 그렇게 낮에는 주간 보호센터에 다니시고 저녁이면 내가 가서 내일 드실 아침 식사와 옷가지를 챙겨두고 집에 돌아오고 그런 생활을 십 년이 넘게 해왔다. 주말에 센터에 안 가시는 날에는 우리 집에 모시고 오면 스스로 알아서 하시는 일은 못 하셔도 내가 농사일이 바쁘면 잔 소일거리는 많이 도와주셨었다. 그렇게 평범하게 지내시던 중에 작년 6월에 센터에서 코로나가 발생하면서 엄마도 코로나에 걸리게 되었다. 센터에서 전화를 받고 어찌할 바를 몰랐다.

그 당시 나는 한참 바쁜 시기라 엄마를 돌볼 수도 없고 엄마를 아파트에 혼자 둘 수도 없고, 가까운 병원에 입원할 수도 없는 상황이었다. 당진에 코로나 병동이 있다고 보건소에서 그쪽에 모시라는 전화가 왔을 때 나는 한치에 망설임도 없이 그렇게 하겠다 했고, 구급차로 엄마를 모시러 갔다. 엄마에게 잘 설명은 했지만 금방 까먹고, 구급차에 타시면서 나 혼자 가냐고 나 무섭다고 가기 싫다고 너랑 같이 가면 안 되냐고 두려움에 찬 눈으로 나를 바라보시던 그 모습을 나는 지금도 잊을 수 없고 앞으로도 영원히 잊을 수 없다.

농사일이 바쁘다는 핑계도 있었지만, 마음속으로 나에게도 코로나가 옮기면 어떻게 하지 하는 생각이 더 강했을지도 모른다. '엄마랑 같이 일주일만 아파트에 같이 있어 줄 걸', '엄마라면 그러셨을 텐데' 하는 생각이 들었다. 내 자식이 만약에 코로나에 걸렸더라면 나는 한 치의 망설임도 없이 내가 돌보았을 것이다.

지금도 가슴이 아리다. 엄마가 하신 말씀 자식은 엄마를 이불로 알고 산다는 그 말씀이 가슴에 못처럼 박혀 있다. 2주 동안 격리하고 돌아오셨을 때 엄마는 완전 딴사람이 되어 있었다. 생전 처음 혼자 그렇게 낯선 곳에서 얼마나 두려움에 떠셨는지 엄마는 화장실 가는 것도 잊어버리셨고, 먹는 것도 잊어버리셨는지 먹는 것을 아예 안 드시려고 했다. 결국 엄마를 홀로 아파트에 계시게 할 수가 없어 우리 집에 모셔 왔지만, 농사일이 바빠 엄마를 돌볼 수가 없었다. 할 수 없이 주변 요양원으로 모시고 면회가 어려워도 비대면 면회라도 계속 다녔었다. 그러나 요양원에 가신 지 3개월 만에 돌아가셨다. 동생들이나 주변 모든 이들은 나에게 고생했다고, 너처럼 잘한 딸 없다고 후회하지 말라고 하지만 난 그때 코로나 병동으로 엄마를 보내던 그날을 잊을 수가 없다. 또 후회가

밀려온다. 그냥 내가 돌봐드렸더라면 그렇게 돌아가시진 않았을 텐데 하는 후회, 엄마는 언제나 내게 따뜻한 이불이었는데 나는 엄마에게 어떤 딸이었을까?

나는 엄마랑 어릴 적부터 많은 이야기들을 나누면서 자랐다. 엄마랑 잠을 자면서 밤을 새워가면서 이야기할 정도로 친구처럼 많은 이야기를 나누었다. 엄마는 어릴 적 6살 때 엄마가 돌아가셔 많은 고생을 하시면서 사셨단다. 내가 시집가던 날 나에게 엄마라는 존재는 죽어도 안 되고 아파도 안되고 아이들을 버리고 집을 나가도 안된다는 그 말씀을 계속 강조하셨다. 살면서 엄마가 왜 그런 말씀을 하셨는지 절실하게 알게 되었다. 삶이 너무 힘들면 생을 포기하고 싶은 상황도 있었고 집을 나가고 싶을 때도 있었고 너무 아파서 병원에 입원하는 상황도 겪어내면서 엄마는 왜 죽어도 안 되고 아파도 안되고 집을 나가도 안되는지 알았다. 자식을 지키기 위해서는 엄마라는 존재는 그렇게 살아야 하는 걸 살면서 알았다. 엄마 없는 세상살이가 얼마나 힘들고 서러우셨으면 시집가는 딸에게 그 말씀을 강조하고 강조하셨는지 내가 엄마라는 세월로 살아보니 알 수 있었다. 나도 딸을 시집보내던 날 딸에게 똑같은 말을 해 주었다.

지금에 와서 돌아보면, 내가 아픈 엄마를 돌보았다기보다 엄마는 나의 의지처였고 버팀목이었고 휴식처였다는 걸 돌아가신 뒤에 알았다. 엄마가 돌아가시기 전 정신이 혼미한데도 엄마 손 잡고, 엄마 고모나 길렀을 때 구급차 혼자 태워 보내서 미안했고, 잘못했다고 용서해달라고 울면서 말했을 때 눈물 흘리시면서 말씀은 못 하셔도 고개를 가로 저으시던 엄마이셨다.

가시는 마지막 순간까지 딸에게 이불이 되어준 우리 엄마. 엄마가 나에게 돌아가시는 순간까지 이불이었듯이 나 또한 내 자식들에게 따뜻한 이불이 되어 주다가 엄마처럼 이쁘게 갈게요. 엄마 사랑해요~(2023년)

12. 예술과 창작

　나는 어려서부터 아버지가 붓글씨 쓰시는 모습을 보면서 자랐다. 아버지는 글씨를 좋아하시기도 하셨지만 잘 쓰셨다. 가끔 아버지가 시키면 종이도 접어드리고 먹도 갈아드렸다. 아버지의 그런 모습을 보고 자랐지만 내가 붓글씨를 쓰게 될 거라는 생각은 하지 못했다. 솔직히 어려서는 엄마만 고생시키고 아버지는 글씨만 쓰고 계신 것이 싫어서 아버지가 글씨 쓰시는 걸 별로 좋아하지 않았다.

　결혼해서 농사꾼으로 며느리로 장녀로 아이들의 엄마로 벅찬 삶을 살면서 어느 순간 하늘로 솟을 수도, 땅으로 꺼질 수도 없을 만큼 힘든 시기가 있었다. 삶이 벅차고 힘들었다. 힘든 삶에서 벗어나 나만을 위해 무엇인가 하고 싶었다. 그때부터 여기저기 다니면서 여러 가지 배워 봤지만, 흥미를 느끼지 못했고 항상 갈증이 났다. 그 무렵 아버지가 돌아가셨다. 아버지 돌아가시고 유품을 정리하다 유품 중에 낡은 붓과 벼루, 쓰다 남은 먹, 화선지 등을 보게 되었다. 붓과 벼루를 집에 가지고 와서 저녁에 벼루에 물을 붓고 먹을 갈아 보았다. 먹을 갈고 있다 보니 마음도 차분해지고 온갖 번뇌가 먹물 속에 잠겨 소멸하는 듯싶었다. 이 마음 때문에 아버지도 삶이 고달플 때도, 자식들 때문에 속 시끄러울 때도, 친구한테 사기를 당해 온 재산을 잃었을 때도 말없이 먹을 가셨고 붓을 잡으셨던 것 같다. 아버지를 그리워하면서 며칠 동안 먹도 갈아보고 붓도 잡아보다 나도 한번 글씨를 써 볼까 하는 생각이 들었다.

'그래 나도 아버지처럼 글씨를 써 보자'

뒷날 나는 문화원에 서예반이 있다는 걸 알고 등록했다. 농사를 지으면서 글씨를 쓴다는 건 쉬운 일은 아니었다. 모내기 철이나 추수철에는 문화원에 갈 수도 없었고 너무 피곤해서 붓을 잡는 건 생각도 못 했다. 그래도 비가 오는 날이나 저녁에 잠이 오지 않는 날은 조용히 일어나 잠깐이라도 먹을 갈고 붓을 잡았다. 그렇게라도 붓글씨를 쓸 수 있음에 감사하면서 붓을 놓지 않았다. 붓을 잡으면서 아버지 생각이 많이 났다. 지금처럼 좋은 화선지, 좋은 붓, 갈지 않아도 되는 먹물을 아버지에게 사드리지 못한 후회를 많이 했다. 작품을 내고 전시회 하는 모습을 보여드렸더라면 당신의 소질을 조금이라도 물려받은 딸을 보면서 좋아하셨을 텐데 그러지 못해 항상 아쉽다. 나도 아버지처럼 먹을 갈면서 그 먹물 속에 기쁨도 시름도 아픔도 같이 갈았고 글씨 한 자 한 자에 온 마음을 표현하면서 삶의 즐거움을 조금씩 알아가기 시작했다.

문화원에 십 년 넘게 다니면서 선생님이 체본으로 써 주시는 글 내용 하나하나에서도 마음이 정화되는 것 같았고 팔십이 넘으신 어르신들의 삶을 통해 지혜를 배울 수도 있었다. 또 다양한 분야에서 살아가시는 분들과 많은 이야기들을 공유하며 인생을 배워 가노라면 손으로 글씨를 쓰는 것만큼 입으로 쓰는 글씨도 좋았다. 수강생끼리 동아리를 만들어 전시회도 4번이나 열었다. 요즘도 나는 11월에 전시회 준비를 위해 새벽에 일어나 글씨를 쓰고 낮에 더워 일을 못하는 시간에도 붓을 잡는다. 시골에서 호밋자루 들고 밭을 매고 장화 신고 농사만 짓던 내

66

가 붓글씨를 쓰면서 전시회도 열어봤고 한해 한해 전시회를 열 때마다 글씨가 발전하는 모습도 보인다.

처음 전시회 열었던 날 어설프고 부족한 작품이지만 내 이름 석 자 낙관까지 찍어서 전시회장에 걸어 놓은 작품을 보면서 뿌듯했던 마음은 평생 잊을 수 없을 것 같다. 글씨를 쓰면서 아주 아주 잘 써서 훌륭한 서예가가 될 만큼의 욕심도 없다. 또 그만큼의 실력도 되진 않는다. 그렇지만 나는 작은 바람이 있다. 근처에 선배 언니가 시도 쓰고 그림도 그리는 언니가 있다. 그 언니의 그림과 시와 나의 붓글씨를 연결해서 개인전을 열어보고 싶다. 그때가 언제가 될지는 모르지만, 그 언니와 꾸준히 준비해 보자고 약속했다.

오늘도 비 오는 소리를 들으면서 딸에게 좋은 유전자를 물려주신 아버지에게도 감사하고 바쁜 농사일에도 내가 꾸준히 글씨를 쓸 수 있도록 배려해 주는 남편에게 감사하며 글씨를 쓴다.(2023년)

13. 붓

난 당신이 정말 그리웠습니다.

가슴에서 갈증이 일어날 때마다 물보다도 더 당신이 그리웠습니다.

삼십 년이 넘도록 당신을 가슴에 품고 살았습니다.

그렇게 갈증 나게 그리워하던 당신을 만나던 날

내 몸 이곳저곳에서 뜨거운 눈물이 흐르고 있었습니다.

당신을 처음 손에 쥐고 하얀 백지 위에 점을 찍던 날

그건 점이 아니라 까만 눈물이었습니다.

절대로 당신을 보내지 않으렵니다.

내 남은 인생 모두를 당신에게 걸지도 모르겠습니다.

이제야 만난 당신

앞으로는 내가 당신을 버리지 않도록

내가 당신을 위해 그동안 못한 사랑을 하고

그동안 못 받은 사랑을 받을 수 있도록

사랑을 주십시오.

그래 먼 훗날 당신과 둘이 하얀 백지 위에서

너울너울 춤을 추면서

세상 어딘가로 날아가 보고 싶습니다.

14. 인생의 전환점

　내 인생에 있어서 첫 번째 전환점이라면 농사꾼 남편을 만난 것이다. 어릴 적 농사짓는 부모 밑에서 자랐지만 내가 농사꾼이 되리라는 생각은 전혀 해 본 적이 없다. 남편을 처음 만날 때 오다가다 만나서 뜨겁게 연애를 한 것이 아니고 농사꾼이라는 걸 알고 중매로 만났다. 그때 나는 신협에 다니고 있었다. 부지런하다는 그 말 한마디에 농사도 시집살이도 다 감당할 수 있을 것 같았다. 남편을 내가 더 좋아하면서 선택했다. 살면서 너무 힘들어 내 선택에 후회가 들면 그냥 인연이란 이름으로 정리를 한 적도 많았다.

　결혼해서 살아보니 농사란 정말 아무나 하는 게 아니었다. 남편은 정말 부지런했다. 많지 않은 농토를 효율적으로 소득을 얻는

방법을 꾸준히 연구하고 노력하면서 농사를 지었다. 각종 채소를 심어 시내 식당에 내나 쌀기노 하고 하우스에 열무를 심어 김치 공장에 납품하기도 했다. 일하면서 흘린 땀방울과 일이 힘에 겨워 흘린 눈물의 무게를 잴 수 있다면 어쩌면 똑같을지도 모르겠다.

그렇게 부지런히 살다 보니 나에게 아니 우리에게 두 번째의 전환점이 될 수 있는 선택의 순간이 왔다. 정주영 회장이 천수만 바다를 막아 거대한 간척지를 일구어 현대기업에서 직접 농사를 짓고 있었는데 그 농지를 현지 농민에게 분양한다고 했다. 지금은 기억나지 않지만, 지역 주민에게 분양하면서 한 가구당 정해진 평수가 있었다. 우리에게 분양된 평수 외에 분양은 받았지만, 농사를 지을 수 없는 노인분들의 땅을 사보면 어떨까 하는 고민을 했다. 땅값이 내리면 어떻게 하지, 간척지라 농사가 안되면 어떻게 하지, 이런저런 걱정으로 며칠 고민하다 그냥 사기로 하고 삼만 평의 농토를 샀다.

땅을 장만하면서 빚을 내서라도 우선 대형 농기계부터 사야 했다. 우선 대형 트랙터를 사야 했고, 트랙터를 싣고 다닐 대형 트럭, 모 심는 이양기, 벼 비는 콤바인, 1톤들이 자루를 내릴 수 있는 지게차까지 빚을 내서 장만했다. 남편과 나는 익숙하지 않은 간척지 농사를 지으면서 참 많은 고생을 했다. 간척지라 트랙터로 논을 갈 때나 이양기로 모를 심을 때면 기계가 빠져 너무 힘들었다. 병충해 방지하는 것도 힘들었다. 지금은 드론으로 약을 치지만 그때는 경운기로 약을 주었다.

논이 너무 넓어 농약 줄을 잡아당기기도 보통 어려운 일이 아니었다. 아이들이 학교에서 돌아오는 시간에 맞춰 약을 주다 보면 아이들은 힘에 부쳐 넘어지고 다치고 한 적이 한두 번이 아니다. 어느 때는 달빛을 햇빛 삼아 밤 9시까지 모를 심고 너무 힘들어 논둑에 앉아 펑펑 울기도 했다.

가을이면 남편은 콤바인으로 나락을 탈곡하고 나는 그 나락을 차에 받아 집으로 실어 나르는 역할을 했다. 집에 와서 내가 직접 지게차로 내려놓고 건조기에 집어넣고 바쁘게 또 논으로 달려가곤 했다. 체구도 작은 내가 대형 트럭에 산물벼를 싣고 수매장에

가면 어떤 분들은 신기해하며 웃으시는 분도 있었다. 어느 날은 경찰에게 안전 벨트를 안 했다고 걸린 적도 있었는데, 차를 한번 쳐다보고 나를 한번 쳐다보더니 차 안을 기웃거리고는 "대단하시네요" 하면서 그냥 보내준 적도 있었다. 언덕을 올라가다가 시동이 꺼져 옆으로 넘어져 나락을 전부 비탈에 쏟아버리고 나는 기어서 나온 적도 있다. 그렇게 한해 한해 농사를 짓다 보니 간척지 농사에 익숙해졌고 빚도 갚아가고 땅도 더 많이 늘려갈 수 있었다.

지금은 남들이 작은 기업이라고 할 정도로 많은 농사를 짓고 있다. 땅이 늘어난 만큼 일이 더 많아져 힘겨울 때도 있지만 농사꾼으로는 이만하면 성공했다고 자부하면서 그동안 열심히 살아온 남편에게도 박수를 보내고 나 스스로에게도 잘 버티고 잘 견뎠다고 박수를 보낸다.

지금은 아들이 도시에서 내려와 아빠에게 농사일을 배우고 있다. 아직은 모든 게 부족하고 서툴지만 언젠가는 아빠를 능가하는 젊은 농사꾼이 될 거라 믿는다. 그렇게 되는 날 손자들 손잡고 여유롭게 논둑에 피어있는 들꽃에 손을 흔들어 인사 나누며 황금 들녘을 천천히 거닐면서 나의 세 번째 인생의 전환기를 맞이하고 싶다.(2023년)

15. 나의 삶을 돌아보다

　새벽 여명이 걷히면서 뒤란에서 참새들이 짹짹거리는 소리에 잠이 깼다. 며칠 동안 정말 겁나게 비를 퍼붓더니 이제 엄청난 더위로 사람들을 힘들게 한다.

　요즘에는 더 부지런해야 농사일을 차질 없이 해낼 수 있다. 한낮 더위를 피해 새벽 일찍부터 서둘러 농사일을 해야 한다. 나는 생강밭을 매고 고구마밭 순을 떼 주러 밭으로 향하고 남편은 드론을 차에 싣고 논으로 향한다. 새벽일을 끝내고 8시가 넘어 집에 들어와 아침밥 준비를 해서 밥을 먹고 나면 9시가 넘는다. 삼십년 넘는 세월을 이렇게 살다 보니 세월 탓인지 나이 탓 인지 이제 허리, 다리 안 아픈 곳이 없다. 남편도 지쳤는지 밥 한 숟갈 뜨고 방에 눕더니 금방 잠이 들었다. 나도 많이 힘들지만 지쳐 있는 남편을 쳐다보고 있노라니 안쓰러운 마음과 함께 처음 만나서 농사일을 시작하던 지난날이 그림처럼 머릿속에 떠오른다.

남편은 29살, 나는 24살에 결혼한 그 시절, 누구나 신혼 시절은 순수하고 행복하겠지만 서투른 농사일을 하면서도 하루하루 행복했던 시절이었다. 남편은 새벽에 언제 일어나는지 모르게 일찍 일어나 소 꼴을 한 짐 베다 놓고 아침을 먹었다. 소 꼴을 베다가 여름이면 빨간 산딸기 한 옴큼 꺾어서 지게 꼭대기에 꽂아 가지고 와서는 슬며시 내 방에 들여놓아 줄 때도 있었고 가을이면 들국화 한 다발을 꺾어 칡 순으로 묶어 꽃다발을 만들어 방에 들여놓아 주기도 했었다. 그 딸기 한 묶음과 들국화 한 다발을 받는 순간 화려하고 비싼 꽃다발에 비교할 수 없을 만큼 행복했다.

아이가 생겨 입덧이 너무 심할 때 시어머니 몰래 노란 주스 가루 한 봉지 사다 장롱 속에 감춰 두고 밤이면 스테인리스 양재기에 한 사발 타 주던 순간도 꿈을 꾸는 듯 행복했다. 경운기 옆에 타고 새벽에 논에 약 주러 갈 때 논둑 양쪽에 새벽이슬 머금은 노란 달맞이 꽃길을 지나갈 때도 누군가 우리를 위해 꽃길을 만들어 준 듯이 행복해하며 노래 부르면서 약 주러 갈 때도 있었다. 나는 살면서 힘들게 일한 날이나 남편에 대한 불만이 생길 때는 가끔 그 추억을 꺼내 슬며시 웃음 지어보면서 마음을 달랠 때도 많았다.

지금, 이 순간 남편이 지쳐 있는 모습을 보면서 머릿속에 힘들고 시운하고 고통스러운 생각보다 아름다운 기억들이 떠오르는 건 어떤 이유일까? 그 이유는 2023년 여름, 글쓰기 공부를 하면서 교수님의 인문학 강의를 듣고 같이 공부하는 수강생들의 삶도 들여다보면서 나 자신을 많이 돌아보는 계기가 되었기 때문이다. 난 친정에서도 부모님의 장녀로서 언제나 착한 딸이었고 학교 다닐 때도 항상 모범생이었고, 직장 다니면서도 성실한 직장인이었다. 결혼해서도 많은 농사일을 남편과 호흡을 맞춰 잘해 나가는 걸 보고 주변 사람들에게 대단하다는 말을 많이 들었다. 그럴 때마다 난 스스로 그걸 자존감이라 믿고 항상 칭찬받기를 원했고, 하나를 주면 하나를 받으려고 하는 욕심으로 살았고 욕심이 채워지지 않으면 주변 사람들을 원망하고 탓하면서 나 자신도 힘들고 주변 사람들도 힘들게 한 것 같다. 내가 대단한 사람이 되기까지는 앞에서 끌어주는 부지런한 남편이 있었고, 힘든 농사일을 도와주면서도 잘 커 준 아이들이 있어 내 삶이 더 빛난다는 걸 모르고 살았다. 항상 나만 힘들고 나만 잘난 줄 알고 살았다.

마지막 수업하는 날 "덕은 외롭지 않으니 반드시 이웃이 있다"라는 논어의 이인편 한 구절에 대해 강의해 주실 때 많은 깨달음을 얻었다. 특히 덕과 득은 한 단어라는 말씀이 감동적이었다. 요즘 친구와의 관계를 혼자 많이 고민하고 있었고, 딸아이가 아이들 키우는 모습을 보면서도 여러 가지 생각들이 많았었는데 그런 생각들을 정리하는 데 많은 도움이 되었다. 앞으로 덕을 베풀면 언제든지 득이 되어 다시 돌아온다는 말씀을 항상 마음속에 간직하고 많은 덕을 베풀면서 살아보자.

올해는 그 옛날 남편이 신혼의 달콤함이 묻어 있던 꽃다발을 안겨준 것처럼 내가 세월의 흔적만큼 정이 담겨있는 들국화 꽃다발을 남편에게 안겨 주면서 수줍은 웃음을 웃어 주어야겠다.(2023년)

16. 나는 행복한 사람

오늘은 저녁을 일찍 먹고 밖으로 나왔다. 집을 나서면 한쪽에는 논이 있고 한쪽에는 냇가가 있다. 나는 가끔 밤이면 이 길을 걷는다. 봄에 모내기 끝내고 나면 개구리들의 합창대회를 감상 하며 걷고 여름이면 날 파리와 모기 쫓아가며 풀 냄새 맡으며 걷는다. 가을이면 벼 익어가는 냄새 맡으며 달빛 별빛 냇물 소리 친구 삼아 혼자 길을 걷는다. 친구들과 전화 통화로 수다를 떨면서 걸을 때도 있고 이런저런 일로 머리가 복잡할 때는 그냥 아무 생각 없이 걷는다.

오늘은 어두운 밤길을 초승달 친구 삼아 느릿느릿 길을 걷는다. 귀뚜라미 소리가 들리고 반딧불이도 몇 마리씩 반짝이며 왔다 갔다 한다. 지난 여름 엄청나게 더웠고 비도 많이 와서 우리 농사

꾼들을 아주 힘들게 했었는데, 어느새 가을이 되어 황금벌판을 만들었고 밭에서는 고구마가 수확을 기다리고 있다. 콩이며 생강도 수확할 날을 기다리며 여물어 가고 있다.

올해는 벼농사도 풍년이다. 그동안 낮은 쌀값 때문에 아주 힘들었었는데 올해는 추석을 겨냥하고 이른 벼를 많이 심어서 수확을 일찍 한 덕분에 쌀값도 잘 받았다. 논농사가 주업인 우리에게는 쌀값이 조금만 오르락내리락해도 수입에 많은 영향을 받는다. 남편과 아들 셋이 함께 힘들게 일한 보람을 창고에 쌓아 놓은 벼 부대를 세어 보며 서로 고생했다고 위로하면서 행복해한다.

요즘 나는 행복하다. 아들이 내년 3월이면 결혼한다고 틈나는 대로 결혼 준비를 하고 있다. 5년 넘게 연애하면서 사랑을 지켜 온 우리 아들과 예비 며느리가 마냥 예쁘고 대견스럽다. 서울에서 간호사로 근무하고 아들은 시골에서 농사를 짓고 있는데도 간호사를 접고 공무원 시험 준비해서 보건직 공무원에 합격해 9월부터 시 보건소에 근무하고 있다. 동갑내기인 두 사람이 마냥 행복해하는 모습을 보면서 나도 덩달아 행복해진다. 두 딸을 키우고 있는 우리 딸도 올 12월에 분양받은 아파트에 입주한단다. 듬직하고 마음 씀씀이가 넓은 우리 사위, 성질 급한 우리 딸을 언제나 뒤에서 받쳐주며 성실하게 살아가는 모습도 고맙고 대견스럽다. 우리 귀여운 손녀딸들은 또 얼마나 예쁜가? 우리가 딸 집에 갔을 때 할머니 할아버지 때문에 집이 좁아서 불편하다고 가라고 하던

손녀딸이 12월에 제 생일이고 큰 집으로 이사 간다고 2단 케이크 사서 오란다. 할머니 할아버지 방도 있으니 이제 매일 와도 된단다. 이런 소소한 일상생활도 행복하지만 나는 더 행복해하는 이유가 있다.

2023년 여름, 기술센터에서 브랜딩 글쓰기 아카데미에 참석하면서 《작은 불꽃》이라는 이름으로 11인이 모여 자서전을 냈다. 시골에서 장화 신고 호미 들고 농기계하고 씨름하면서 농사만 짓던 내가 교수님의 인문학 강의를 듣고 자서전을 낸 것만도 감격할 만한 일인데, 내 이름으로 된 내 책을 내게 된 것이다. 그동안 편지 쓰는 걸 좋아해 가끔 방송국에도 글을 냈었다. 그리고 생각날 때마다 일기처럼 써 놓은 글이 있었다. 그 글들을 모아 내 이름으로 책을 만들어 보라고 교수님이 말씀하셨다. 교수님이 도와주신다는 말씀에 얼른 대답했다. 새벽이면 일어나 컴퓨터 앞에 앉아 글을 정리하고 다시 글을 쓰면서 흥분되고 설레는 마음을 가눌 길 없다.

지금의 나처럼 행복한 사람이 또 어디 있으랴! 바쁜 일상 중에도 틈을 내어 내가 좋아하는 붓글씨를 쓰고 11월6일 전시회를 한다. 부족하고 어설픈 글이지만 내가 작가가 되어 내 이름으로 책을 낸다. 내가 책을 낸다고 독자가 있는 것도 아니고 누가 크게 축하를 해 주는 사람도 없지만, 환갑이 지난 내 삶도 이만하면 열심히 살았고 잘 살았다고 나 자신에게 박수를 쳐 주고 싶다.

요즘도 20여 일 동안 벼 추수하느라 정신없이 바쁘다. 몸은 고되고 힘들지만, 마음만은 행복하기에 오늘도 일 톤 차 끌고 논으로 신나게 달려간다. 오늘은 길가에 피어있는 억새들도 들꽃들도 나를 향해 손을 흔들어 주며 웃어 주는 것 같다.(2023년)

17. 사랑하는 우리 아들딸에게

오늘 아침 여유로운 마음으로 세수하고 거울 앞에 앉았는데 거울 속에 아주 낯선 아줌마의 모습이 보이더라. 머리에는 흰머리가 듬성듬성 보이고 얼굴에는 세월의 훈장처럼 주름살이 그려져 있는 내 모습을 보면서 나도 많이 늙었구나! 하는 생각이 들었단다.

마음은 아직도 20대 청춘인 것 같고 가슴속에 여린 소녀 감성도 남아 있는데 어느새 엄마를 환갑이 넘은 노인네로 되려다 놓았구나. 세월은 또 엄마라는 이름에서 장모님, 시어머니, 할머니라는 이름도 지어 주었지!

20대 초반 어린 나이에 서투른 엄마가 되어 첫딸을 낳고 품에 안아 눈을 마주치며 젖을 먹일 때 엄마는 얼마나 행복했었는지 모른단다. 9시간 넘는 진통 끝에 우리 아들을 품에 안았을 때 아들이라는 소리에 산고의 고통도 잊어버리고 엄마는 하늘로 올라가는 기분이었어.

그렇게 기쁨으로 엄마 품에 와 준 너희들을 키우면서 즐겁고 행복했어. 잔병치레도 없이 잘 커 준 너희들, 아들이 가끔 다쳐서 엄마를 당황하게 한 적은 있었지만 크게 엄마를 힘들게 한 적 없이 잘 커 주었지. 모든 게 서툴고 부족한 엄마는 우리 아들딸을 키우면서 엄마 자신도 같이 커 왔단다. 일륜차에 태워 밭둑에 되려다 놓고 일하다 보면 일륜차가 넘어져 너희가 울기라도 하면 엄마가 더 크게 소리 내어 울었어.

힘이 들면 친정에 가고 싶어 너희들을 등에 업고 집 굴뚝 곁에서 울은 적도 많았단다. 너희들이 커 갈 때 우리 집엔 항상 일이 많았지. 엄마 자신도 농사 초보라 아주 힘들었고 시집살이도 버거워 살갑고 따뜻한 엄마 역할을 못 해주는 것이 서럽고 미안해서 더 많이 울었는지도 몰라. 너희들이 초등학교 다닐 때도 새벽에 일어나 열무 작업하고 학교에 갔고 주말이면 대파 작업 데리고 다녔어. 그리고 학교 끝나는 시간 교문 앞에서 기다렸다가 너희들을 데리고 와서 농약 줄을 잡게 하기도 했었지.

철부지 엄마는 엄마 힘든 것만 생각했지. 우리 아들딸이 힘들

거라는 건 생각도 못 했단다. 너희들이 사춘기가 있었다는 것도 모르고 지나왔어. 세월이 지난 뒤 엄마가 마음에 여유가 오니 우리 아들딸이 사춘기에 아주 힘들었다는 걸 알았을 때 엄마는 가슴 저리도록 마음이 아팠어. 그때 미안한 마음을 이 짧은 글 속에 어찌 표현할 수 있겠니? 특히 우리 딸에게는 엄마가 더 많이 미안하고 마음이 아프단다.

네가 사춘기 때 엄마가 더 많이 힘들은 적이 있었지. 그 시설 너는 나에게 언니였고 친구였고 버팀목이었어. 아들이 중학교 다닐 때 친구가 힘들게 해서 어려웠던 적도 있었지. 담임 선생님이 엄마 좀 오시라고 해서 상의 해보자 했을 때, 우리 엄마 지금 많이 힘드셔서 학교 오시라고 하면 안 된다고 했다는 소리를 시간이 지난 뒤에 담임 선생님한테 들었어. 담임 선생님이 그동안에 아들이 겪었던 일들을 이야기 해주시면서 아들이 마음이 참 깊다고 칭찬하면서 엄마 손을 잡을 때 엄마는 우리 아들이 얼마나 힘들었을까 생각하면서 또 많이 울었어. 그렇게 우리 아들딸은 철부지 울보 엄마를 지켜 주면서 착하고 바르게 커서 지금 어른이 되어가고 있네!

항상 미안하고 고마운 아들딸. 예쁘고 당당하게 자라서 우리 딸은 한 남자의 아내가 되었고 두 아이의 엄마가 되었지. 지금도 가끔 벌처럼 톡톡 쏘면서 엄마보다 더 어른일 때가 있지만 그래

도 엄마는 너 가 한없이 이쁘단다. 한 가정을 꾸리고 아이들도 사랑으로 키우려고 노력하는 네 모습도 대단하고, 너의 전공인 꽃일도 하면서 지혜롭게 잘 살아가고 있는 모습이 대견하고 기특하기만 하단다.

유치원 재롱잔치에서 촛불을 들고 뜨겁다고 엉엉 울던 귀여운 아기가 어느새 한 여자의 남편이 되는 우리 아들. 요즘 결혼 준비하느라고 주말마다 서울 왔다 갔다 하느라고 많이 힘들지? 아직도 아기로만 보이는데 이제 너도 어른이 되어간다고 가끔 큰소리치며 엄마 아빠를 당황하게 만들 때도 있지만, 네 마음속에는 엄마 아빠를 사랑하는 마음이 많다는 걸 엄마는 알지.

결혼해서도 엄마와 같이 농사지으며 가까운 곳에 살게 될 우리 아들. 오랜 연애 끝에 한 가정을 일구고 한 여자의 남편이 되는 아들. 친구처럼 다정한 남편이 되리라 엄마는 믿어

사랑하는 우리 아들딸. 지금 엄마는 아주 행복하단다. 듬직하고 배려심 깊은 사위, 예쁘고 착한 며느리, 사랑스러운 손녀들도 생겼고, 바쁜 농사일 하면서도 엄마가 하고 싶은 취미 생활, 모임, 사회활동 열심히 하면서 활기차고 신나게 살고 있으니, 지금이 가장 행복한 순간이란다

너희들도 참 많이 힘들었을 텐데 엄마를 잘 견디고 버티게 도와줘서 지금처럼 행복한 엄마가 있다는 걸 잊지 않을게. 엄마가 살아보니 인생길은 오르막길도 있고 내리막길도 있더라. 또 행복

이 넘쳐서 이렇게 행복해도 되는가 싶을 때도 있고, 태풍이 몰아쳐 가족이라는 큰 배를 마구 흔들어 놓을 때도 있단다.

너무너무 행복한 순간이 오면 가족이 함께 마음껏 행복해하면서 즐기고, 거센 태풍을 만나면 가족이라는 배 안에서 힘을 합쳐 부지런히 노를 저어가기 바란다. 그러다 보면 다시 바다는 잔잔해진단다. 너희들도 인생길 지나 봐야 아는 길이지만 세월이 흘러 엄마 나이가 되었을 때 후회보다는 행복함이 많은 인생길이 되기를 바란다.

앞으로는 엄마가 너희들에게 버팀목이 되어 주고 외할머니가 "부모는 자식에게는 이불 같은 존재란다"라고 항상 말씀하신 것처럼 너희들에게 따뜻한 이불이 되어 줄게.

사랑한다, 우리 아들딸! (2023년)

18. 인연이라는 이름으로

며칠 전에 남편 친구분들과 부부 동반 거제도로 여행을 가게 되었다. 그분들과 만남을 이어 간 지가 10년이 넘는다. 유럽을 비롯해 해외여행도 몇 번 다녀왔다. 여행 첫날 자려고 누웠는데 잠자리 탓인지 잠이 오질 않았다. 그런데 그 순간 머릿속에 어떤 생각들이 떠오르면서 글로 써 보고 싶다는 생각이 들었다. 지금 여행 같이 와서 옆에 같이 누워 있는 저 언니들도 처음에는 전혀 알지 못하던 사람들이었는데, 어떤 인연이 있어서 이렇게 오랜 세월 같이 만남을 이어가고 있을까 하는 생각이 갑자기 들었다.

나는 절실한 불교 신자는 아니지만 가끔 절을 찾아가고 스님들의 법문을 자주 듣는다. 법문을 듣다 보면 이 세상에서 만나는 인연은 사람이든, 동물이든, 식물이든 500생 억겁의 인연으로 만난단다. 그렇게 많은 억겁 중에 얼마나 많은 인연들이 스쳐 지나갔을까? 우선 나를 세상과 인연을 맺게 해준 부모님과의 만남부터 떠 올려 보았다. 나는 어느 작은 시골의 산골에서 가난한 집 육 남매의 막내아들로 자란 아버지, 부모님을 일찍 여의고 네 명의 오빠들 밑에서 자란 불쌍한 우리 엄마의 첫딸로 태어나 세상과 인연이 되었다. 어질고 부지런한 부모님을 만나 동생들과 가족이라는 이름으로 좋은 인성을 갖춰가면서 살아올 수 있었음을 가장 행복한 인연이라 이름 지어 본다. 엄마 아버지는 돌아가실 때까지 자식들 문제로 큰 걱정 하시지 않고 잘 사는 모습만 기억하시면서 돌아가셨고, 우리 네 남매는 크게 부자로 살지는 않지만 좋은 일이 있으면 같이 기뻐하고, 힘든 시기가 있으면 같이 위로해 가면서 우애 있게 살아가고 있다. 이만하면 부모님이 맺어 준 인연은 먼 훗날까지도 좋은 인연으로 남을 것 같다.

부모님과 맺어진 인연 중에 꼭 고마움을 표현하고 싶은 사촌 오빠 부부가 있다. 어쩌면 올해 어쭙잖은 글을 쓰면서 그분들이 자꾸 떠 올라 인연 이야기를 하고 있는지도 모른다. 아버지는 고등학교를 졸업하고 취직이 되자 나를 안양 사촌 오빠 집에 데려다주었다. 어리기도 했지만 방을 얻어 내보내기는 어려우셨던지 단칸방에서 조카 둘 키우면서 장사를 하는 사촌 오빠 집에서 직장을 다니게 해 주었다. 그때는 몰랐다. 그냥 그분들과 같이 살면 되는 줄 알았다. 우리 집 안에 시골에서 올라가 도시라는 곳에서 정착한 사람이 아무도 없었던 그 시절 그 오빠네 집이 유일한 울타리가 되었던 것 같다. 그동안 나 말고도 다른 시동생들도 그 집을 거쳐 간 것을 알고 있었기에 나는 당연한 걸로 알고 일 년 가까이 있다가 방을 구해서 나왔다.

그러나 내가 결혼하고 난 뒤에 알았다. 그분들이 어떤 분들이 었는지 알았다. 그분들은 천사였다. 결혼 생활을 해 보니 단칸방에 살면서 가족이 아닌 다른 사람을 거둔다는 게 아무나 할 수 있는 일이 아니라는 걸 알았다. 친동생이라면 어쩔 수 없다고 말할 수도 있겠지만 사촌 동생인 나를 일 년 가까이 데리고 살면서도 그분들은 한 번도 눈치를 준다거나 불편하게 한 적이 없다. 올케언니는 삶이 넉넉지 않아도 항상 주위의 어려운 사람들을 돌보면서 살았다. 그분들과 살면서 어진 성품과 베푸는 생활도 배웠다. 부족하지만 참고 사는 법과 항상 삶을 고맙게 받아들이는 법도 배웠다. 지금은 몇 년 전에 고향으로 돌아와 농사를 짓고 있다. 고향에 내려온 것도 큰아버지 큰어머니 모시기 위해 내려왔다. 지금은 두 분 다 돌아가시고 언니 오빠도 노인이 되어 여기저기 아픈 곳이 많아 병원을 자주 다니시는 것 같다. 나는 지금도 인생길 걸어가다가 좋은 일이 있으면 그분들에게 자랑하고 싶어지고, 힘든 일 있으면 엄마 아버지와 함께 그분들을 떠 올리는 거만으로도 위로를 받는다. 두 분한테 받은 은혜 무엇으로 다 갚을 수 있겠는가! 고마운 마음 간직하면서 인연이 다 하는 날까지 좋은 인연으로 이어가면서 살아가리라.

남편을 만나 한 가정을 이루면서 만나게 된 가족들. 시댁 식구들, 우리 아이들과 만남 또 아이들이 자라서 배우자를 만나고 아이를 낳고 하면서 만들어간 인연들은 또 얼마나 많은가! 스쳐 지나간 인연 중에 가슴 저리게 그리움을 간직한 이름도 있고, 고통과 아픔으로 상처를 주고 떠난 이름도 있다. 그리움을 주고 떠난 사람은 좋은 추억이었고, 아픔을 주고 떠난 사람은 나를 더 성숙한 인간으로 만들어 주는 인연이었다. 살면서 사람과의 만남도 헤아릴 수 없이 많았겠지만, 나는 기억 속에서 지워지지 않는 가축과의 특별한 인연도 있다.

결혼하고 신혼 초에는 집에서 소도 기르고 돼지도 길렀다. 그 중에 우리 집을 떠나면서 안타깝게 바라보던 소와 돼지의 슬픈 눈망울이 가끔 기억 속에 떠 오를 때가 있다. 처음 농사지을 때 결혼반지 팔아서 송아지 한 마리를 사서 옛날 집안 헛간에서 키

웠다. 남편은 매일 새벽 풀을 벼다 먹이고 나와 시어머니는 사랑
솥에 소 죽을 끓여 먹였다. 돼지도 한 마리 키우면서 어미 돼지가
되어 새끼를 낳게 되었다. 새끼를 너무 많이 낳아 어미 돼지가 다
젖을 먹이지 못해 한 마리를 자꾸 밀쳐내고 있었다. 나는 그 한
마리를 한겨울이라 밖에 내놓으면 얼어 죽을 것 같아 커다란 고
무통에 담아 방에 들여놓고 우유를 타서 먹였다. 한 달 넘게 키워
장사꾼에게 팔 때가 되었다. 장사꾼이 밖에서 키운 돼지들과 같이
차에 싣고 떠나려는데 내가 키운 돼지는 계속 나를 바라보면서
차에 타지 않으려고 몸부림을 치고 있었다. 억지로 차에 싣고도
짐칸 뒤에다 발을 올려놓고 꿀꿀거리며 울고 있었다. 말 못 하는
가축이지만 젖병으로 우유를 먹여 키워준 내가 엄마였으리라. 송
아지도 몇 년을 울 안에서 키워 장에 내갈 때 큰 눈으로 우리 식
구들을 바라보면서 슬픈 눈망울을 보여주며 떠나가던 모습을 지
울 수가 없다. 그렇게 가축들과의 인연도 깊게 자리하고 있는데,
내 주변에 고마운 인연들은 또 얼마나 많을까?

몇십 년이 지나도록 그림자처럼 옆에서 인생길 같이 걸어가는
친구들, 기쁘면 기쁘다고 안아주고 아프면 아프다고 보듬어 주는
친구들이 있어 걸어오는 인생길 외롭지 않았다. 또 나보다 한 발
짝 앞서 삶을 살아오신 인생 선배님들. 힘들어 주저앉고 싶을 때

찾아가면 기댈 수 있는 나무가 되어 주고, 속 깊은 이야기를 털어 놓고 싶을 때 찾아가면 임금님 귀는 당나귀 귀라고 실컷 떠들 수 있도록 배려해 주는 형님이라 부르고 언니라 부르는 좋은 분들도 많이 있다.

올해 특별하게 맺은 교수님과의 만남도 내 인생의 중요한 한 페이지를 쓴 인연이었다. 교수님은 그동안 남편, 자식, 농사일이 최우선이었던 나에게 내가 하고 싶은 일을 할 수 있게 해 주셨다. 교수님의 인문학 강의를 들으면서 한층 더 폭넓은 마음으로 이해하면서 살아가는 알게 해 주셨다. 덕은 베풀면 언젠가 득이 되어 나에게 돌아온다는 말씀, 나에게 돌아올 시간이 없으면 언젠가 내 아이에게라도 돌아온다는 말씀은 평생 내 마음속에서 지워지지 않을 것이다. 나 또한 내 아이들에게도 그렇게 살라고 말해주리라.

돌아보니 내 주변에는 지우고 싶은 인연보다는 좋은 사람이라 부를 수 있는 인연들이 더 많은 것 같다. 한 해의 마지막을 향해 가는 지금 나도 누군가에게 오랫동안 지워지지 않는 좋은 인연으로 남아 있기를 바란다. (2023년)